Het web

Van Joost Heyink zijn ook verschenen:

De kwetsplek
Katapult
De afgrond
Obsessie (genomineerd door de Jonge Jury 2004)
Loverboy & girl (genomineerd door de Jonge Jury 2006)
De indringer
Zwarte engel
Tweestrijd
Morgen sla ik terug

Joost Heyink

Het web

Van Holkema & Warendorf

Derde druk 2008

ISBN 978 90 269 9747 1
NUR 284

Unieboek BV, Postbus 97, 3990 DB Houten

www.unieboek.nl
www.joostheyink.nl

Tekst: Joost Heyink
Ontwerp omslag en binnenwerk: Ontwerpstudio Bosgra BNO, Baarn
Foto's omslag: © Getty Images, Patrick Sheándell O'Carrol/PhotoAlto
Opmaak: ZetSpiegel, Best

<pepperboy> *kheb nou 3x met je gechat. Tijd voor een echte date, chick*
<chickie> *vergeet het maar pepper*
<pepperboy> *waarom niet? Gewoon, op het pleintje achter nr. 3 in het Zuiderpark. Kan geen kwaad toch, chickie? He! (((((chickie)))))! Vertrouw je me niet?*
<chickie> *voor geen meter. Sodemieter op, enge nerd*
<pepperboy> *verlaat de chatroom*
De man die zich pepperboy noemde, gaf een dreun tegen de pc die naast het scherm op tafel stond.
Het zat niet mee, de laatste tijd.
Drie maanden geleden was het alweer, zijn laatste afspraakje. Was wel grappig geweest trouwens. Heftig en kort. Beetje te kort eigenlijk. Stomme miep.
Nee, de klad zat erin.
Kwam ook door die stukjes in de krant. Het was of ze gewaarschuwd waren.
De man bladerde een paar tijdschriften door tot hij plotseling glimlachte. Hij legde zijn vinger op een kleurig kort zinnetje.
'Yes, dat is een leuke box,' mompelde hij. 'Tijd niet geweest.'
Hij keek naar de rug van zijn handen. Na een paar seconden draaide hij ze om en keek hij naar de binnenkant.
De man had grote handen. Onwaarschijnlijk grote handen.
Maar dat zag hij niet.
Hij was klaar.
Hij was nu iemand anders en had een nieuwe naam.

1

Eén week later

<majaofnee> *zeg supah, ben jij echt 15?*
<Pepcigirl> *haai peeps, goeduh avond*
<supahlief> *wegwezuh, bemoei je er ff niet mee*
<majaofnee> *wrom niet? Mag toch wel wat zegge?*
<supahlief> *ik heb het niet tege jou*
<Pepcigirl> *glukkig, ik dacht al*
<oksel> komt de chatroom binnen
<majaofnee> *hey supah-eikel, d8 je dat jij hier de baas was?*
<supahlief> *w8 nou! Ik bedoel die nieuwkomer!*
<oksel> *Gezellig, wat een supahlieve ontvangst! Ik ga wel weer*
<oksel> verlaat de chatroom
<majaofnee> *heb je het tege mij?*
<Pepcigirl> *bedoel je mij?*
<supahlief> *nee*
<Pepcigirl> *oh, ik d8 al*
<supahlief> *ja jou!*
<majaofnee> *dus toch!*
<supahlief> *nee!*
<Pepcigirl> *wat nee?*
<supahlief> {{{{*majaofnee*}}}}, @xxx{::::::::::::::> *pepcigirl. Begrepe?*

Wat een kletskoppen, dacht Meg. Heel even was ze van plan geweest mee te doen, al was het maar om nog wat extra misverstanden toe te voegen. Een saaie box moet je een schop geven, door elkaar schudden en opstoken. Dan is er een kans dat er nog wat te lachen valt.
Maar deze box, de Young & Lovely Chatroom van de jongerensite www.Y&L.com was werkelijk om te janken. Vanavond tenminste.

Gisteravond was dat anders.
Toen had ze zich met groot plezier in een club van zeker vijfentwintig kletsers gestort en meegedaan aan romantisch geleuter en zwoel gewoel. Eerst was ze Troetel, haar oudere en blonde kant. Troetel is vrolijk, een beetje lacherig, onbekommerd en wel in voor een avontuurtje. Ze is niet knap, wel leuk om te zien. Troetel kreeg contact met Sion2xx, een Antilliaanse jongen van 17. Het ging eerst over niets, maar ze waren toch nog even privé geweest. Dat had niet lang geduurd. Sion2xx bekende al snel dat hij geen Antilliaanse jongen van 17 was. Hij was helemaal geen 17. Ook geen Antilliaan, trouwens. Laat staan een jongen.
Dus had Troetel de chatroom verlaten en had Meg even zitten nadenken of ze zich opnieuw tussen de misverstanden zou begeven.
Het kriebelde, ze kon het niet laten.
Vaak was ze Troetel, die was makkelijk, een enkele keer waagde ze het Wuftie te zijn. Als Troetel durfde ze zich te laten zien. In het echt, in een café of zo. Nou ja, bij wijze van spreken natuurlijk. Met Wuftie lag het anders. Dat was maar een klein en verstopt stukje van haar. Meg liet Wuftie toe als ze in bed lag of als ze naar spannende sites zat te kijken. En zelfs dan maar mondjesmaat.
Gisteravond durfde ze het.
Wuftie ziet eruit zoals ze klinkt. Ze heeft een hese stem en haar dat half voor haar ogen hangt.
Het is verbazend hoe snel er mensen naar je toe komen als je Wuftie heet. Je kunt kiezen met wie je verder wilt. Je kunt mensen afbekken en toch blijven ze aandacht vragen. Als je met 'eh' of 'ah' reageert, doen ze of je een buitengewoon diepzinnige opmerking hebt gemaakt. Als Wuftie is het chatbestaan opwindend en spannend. Meestal.
Gisteren niet. Drie ouwe lullen, dat was alles. Maar dat was het risico.
Nog één keer had Meg het geprobeerd.

Als Sister.
Sister was Meg. Natuurlijk, Troetel en Wuftie en die paar anderen waren ook Meg, maar Sister was niet een zijkant, een tijdelijk gezicht, een kriebel of een feestneus. Als er íémand Meg was, was het Sister.
En dus ziet Sister er als enige uit als Meg. Vrij klein. Tenger maar sterk. Zwart, sluik haar met een zweem van rood, waar ze niet mee geboren is. Bruine ogen. Meg weet dat mensen denken dat ze een vader, moeder of grootouder heeft die uit het Verre Oosten komt. Dat hebben ze dan goed gedacht.
Chatten als Sister is het allerspannendst.
Het engst ook. Omdat ze niet kan spelen als ze Sister is. Als Troetel of Wuftie kun je opgaan in je rol. Je kunt om jezelf heen lopen. Je bent het wel, maar ook weer niet. Je hoeft je niet druk te maken over 'de waarheid', want wat de waarheid is, bepaal je elk moment zelf. Je liegt nooit en tegelijkertijd altijd.
Dat werkt dus niet als ze Sister is.
Want Sister is Meg en Meg is Sister.
En zo werd het toch nog leuk.
Nou ja, leuk. Kietelend, raar, grappig raar.
Tussen al het gezwam door kwam Beau bovendrijven. BeauX om precies te zijn.
<BeauX> *DaSis. Van wie ben je de sister?*
<sister> *Van mezelf*
<BeauX> *En wie is leuker, jij of jezelf?*
<sister> *ik, maar zeker ben ik er niet van*
<BeauX> *Hoe oud ben je, sister?*
<sister> *vandaag?*
<BeauX> *Wat een vraag! Okee, op welke school zit je?*
<sister> *vwo. Jij?*
<BeauX> *Ook. Hoe zie je r uit? Even denken. Even ruiken. Ja! Klein! En donker haar. Geen krullen. Beetje mager. Ehh...*
Getver! Hoe weet hij dat? Dit kan helemaal niet! Ik wil dit niet!
Meg had de neiging eruit te stappen. Chatten is leuk zolang je

vrij, anoniem en veilig bent. Maar dit voelde niet vrij en anoniem. En ook niet veilig.
<BeauX> *En nou denk je: hoe kan dat? Hoe weet hij dat?*
Ja, natuurlijk denk ik dat. Meg besloot het nog even aan te zien. Wat was dit voor een jongen?
<BeauX> *Ha, ha, kwil het je wel vertellen, hoor*
Meg stond op en liep naar het raam. En weer terug. Ze ging zitten.
<sister> *ik weet niet of ik dit leuk vind. Hoe weet je dat allemaal?*
<BeauX> *Ik heb een goed geheugen. Als je meer wilt horen, kom dan morgen terug. Voor nu: @}-,-'- en ((((sister))))*
Onheilspellend. Hoewel, dat was wat overdreven. Spannend, dat wel. Heel spannend. En dat cybergedoe aan het eind, dat kriebelde natuurlijk een beetje.
En nu was het morgenavond. Meg kon het niet laten. Ze moest het weten. Wie was die malloot? Wat wist hij van haar en hoe wist hij dat dan? 'Beau' klonk niet slecht, was dat de jongen die je je daarbij voorstelde? Het knaagde en zeurde, en niet op een vervelende manier.
Eigenlijk had Meg helemaal niet zo'n belangstelling voor jongens van haar leeftijd, laat staan voor hijgerige pubertjes. Echt verliefd was ze nog nooit geweest. Goed, een paar keer een beetje. Maar ze had er niet eens haar best voor gedaan. Heel dubbel allemaal. Lekker verliefd, ja, en dan? Dan moest je van alles. Of juist niet. Meg wilde wel, maar zag er ook een beetje tegenop. Haar moeder zei op een verkeerd moment dat ze er nog niet aan toe was. Dat zei ze trouwens over alles waarvan ze hoopte dat Meg er nog niet aan toe was.
Maar zo'n chatroom is totaal anders dan een schoolfeest of een café. Op een schoolfeest hoor je een opwindende stem, je draait je om, je kijkt de jongen aan en je keert je vervolgens onmiddellijk weer om, omdat de jongen absoluut niet bij zijn stem past. En in een café zie je een type waarvan je denkt: oef! Tot hij zijn mond opendoet.
Nee, in de chatroom verzin je zelf het gezicht en de stem en het

lijf en de rest. Eén goedgekozen woord van de tegenspeler is genoeg om de hele boel op en in te vullen. Dat is nog eens leuk! Je praat met iemand die je eigenlijk helemaal zelf hebt gemaakt! Je hebt bij wijze van spreken zijn haar gedaan, zijn kleren uitgekozen, de kleur van zijn ogen bepaald, zijn neus, zijn schouders, zijn billen en zijn handen gezien zoals je ze wilt zien! Hij is echt, maar toch ook weer niet. Je hoeft niks, maar je mag alles!
En nog mooier: niemand kan je dwingen, iets van je eisen, blijven als je wilt dat hij verdwijnt. Met één druk op de knop ben je verlost van gezeur of jaloers gedoe.
Het allermooiste is misschien dat je kunt zijn wie je wilt zijn.
Iemand had haar ooit gevraagd of ze romantisch was. Daar had ze lang over na moeten denken.
Het was tien voor halfnegen.
Meg zat vanaf acht uur in de Young & Lovely Chatroom en de gesprekken waren nog steeds slaapverwekkend. Ze had geen enkele behoefte zich in het gezever en gemier te begeven. Beau liet zich niet zien.
Ze gaapte.
Een zekere Tonio vroeg om Clara300 en informeerde daarna naar Piepeltje. Die reageerde ook niet.
<Tonio> *En sister, waar ben jij?*
Meg keek naar het scherm en haalde haar schouders op. Tonio kon de pot op.
<Tonio> *Ik weet dat je er bent, sister, je staat op het lijstje van deelnemers*
Dat klopte. Natuurlijk klopte dat. Ze wachtte immers op Beau.
<sister> *:-l tonio, snapje? :-6, begrepe?*
Zo, dat moest afdoende zijn.
<Tonio> verlaat de chatroom
Het was afdoende.
Wat nu? Meg had geen idee hoe laat Beau zich zou laten zien. Vanavond, ja. Dat kon ook om tien uur zijn. Of eerder. Of later. Gisteren was hij er om negen uur.

Meg stond op, liep de trap af en pakte de fles cola uit de koelkast. Twee minuten later kwam ze haar kamer binnen met een vol glas in haar hand. Ze was net op tijd om de mededeling op het scherm te kunnen zien.
<BeauX> *Dan maar niet, ik d8 dat je het leuk zou vinde. Jammer.*
<BeauX> verlaat de chatroom

2

Het was zaterdagochtend halftien en Meg stond onder de nieuwe douche. Al een klein halfuur. Het ding was zo lekker dat je er niet zonder dwang onderuit kon. Niet alleen van boven, maar ook van links, van rechts en van achteren kwamen warme straaltjes. Vorige week had ze een indrukwekkend nieuw record gevestigd: een uur en drie kwartier. Maar toen was er ook verder niemand thuis. Gisteravond had ze het gemopper en gezoem en geratel op het web nog een kwartiertje aangezien en was er toen mee gestopt. Jammer dan. Volgende keer misschien, met Beau of met wie dan ook. Elke dag een nieuwe ronde met nieuwe kansen. Misschien vanavond nog even kijken. Als Troetel of zo.
Gebons op de deur.
'Mag ik nou eens?' Haar vader.
'Even mijn haar wassen!' Had ze al gedaan, maar het scheelde algauw zo'n tien minuten.
Een halfuur later zaten ze met zijn drieën aan de ontbijttafel. Megs vader zat links van haar. Hij was nauwelijks drie minuten in de badkamer geweest. Zijn haar had hij niet hoeven wassen, want dat had hij niet. Hij had een glimmend bruin hoofd en vrolijke ogen. Zijn mond zag er altijd uit alsof hij op het punt stond een mop te vertellen. Vaak klopte dat ook. Hij was niet groot, wel snel en sterk. Meg was trots op hem. Hij vertederde haar soms. Gek, dat je vertederd kunt worden door je vader.
De moeder van Meg was nog net echt blond, haar grijze haren zag je alleen als je van dichtbij keek. Ze was een stuk breder dan haar man. En ze had geen mond die voor een lach was gebouwd. Wat niet betekende dat ze nooit lachte. Alleen niet om grappen. Ze had een zachte meelach, als anderen het hardop deden.

'Wie wil er een gekookt ei?' vroeg Megs vader. Hij had drie eieren in zijn rechterhand. Opeens gooide hij de eerste in de lucht. Toen de tweede en een halve seconde later de derde. Hij ving het eerste ei op en gooide het onmiddellijk weer de lucht in. Zo ging het verder met de andere eieren. Een paar keer ving hij een ei achter zijn rug en gooide het over zijn hoofd heen.
'Heel leuk, Peter, maar deze kennen we al. Al een jaar of tien. Bovendien...' Megs moeder aarzelde even.
'Nou en? Ik moet in vorm blijven.'
'De eieren...'
'Ja, jij een?'
'Ze zijn nog niet gekookt.'
Megs vader schrok en ving er twee op.
'Oeps,' zei hij, toen het derde ei naast zijn ontbijtbord op tafel neerkwam.
Verder ging alles goed. De zon scheen, de broodrooster deed het weer eens en de jam was vandaag niet op.
'We moeten zo gaan, Meg. Om elf uur beginnen we. We hebben een hoop te doen.'
Zo was het.
Ze moest vandaag de gordijnen in.
Gordijnen van zeven meter hoog.

Het theater was oud maar keurig opgeverfd.
Een monumentale ingang, breed en met imposante trappen.
De achteringang was niet monumentaal. Een smal deurtje, meer niet.
Meg en haar vader gingen via de achteringang naar binnen. Een smalle gang leidde naar een halletje. Er kwamen drie deuren op uit.
'Tot zo.' Weg was Megs vader.
Zelf ging ze de tweede deur binnen. Er stond 'KLEEDKAMER 1' op. Een kleine ruimte met een kaptafel en een spiegel met een barst erin. Ze liet haar tas op de grond vallen en ging op de stoel

voor de kaptafel zitten. 'Dag Sister,' zei ze tegen de spiegel. Die keek vriendelijk terug. 'Dag Troetel,' zei ze. De spiegel deed lacherig. 'En dag Wuftie.' Haar stem klonk een beetje hees. De spiegel gaf een knipoog.
Hier zat ze graag. Liefst alleen. Beetje fantaseren.
Nog zes weken hadden ze, dan moest alles klaar en ingestudeerd zijn. Dat was krap, want er moest nog veel gebeuren. Van de muziek, bijvoorbeeld, klopte nog niks. Er was een trompettist, maar daar had je weinig aan als er een vioolsolo moest worden gespeeld. Verder had de drummer zijn duim gebroken en moest de fluitist dus als een idioot tot trommelaar worden omgeschoold. Dat werd nog hard werken. En de vier Roemeense acrobaten hadden wel een leuk springnummer, maar daar waren ze niet voor aangenomen. Het was de bedoeling dat ze op elkaar gingen staan, zodat ze zeven meter hoog kwamen. Staande. Dat ging nog wel, maar het moest op hun handen. Ondersteboven. En dat lukte dus nog voor geen meter. Ze vielen al om als de nummer twee erop klom. Een maand hadden ze nog.
Megs vader had het ook niet makkelijk. Met drie eieren kon hij het goed, maar over vijf weken moest het met cavia's. Vier cavia's. Met één hand en ze moesten zeker een meter hoog, anders kon het publiek het niet goed zien. En hij mocht ze zeker niet laten vallen, want dan waren er altijd wel een paar kijkers die boos zouden worden en het zou in de krant en op de televisie komen en dat zou slechte reclame zijn. Dat konden ze niet gebruiken. Nee, een maand was krap.
Meg zelf had het nog het makkelijkst. Dat kwam goed uit, want ze had alleen tijd in het weekend.
Eigenlijk kon ze het al. Klik! Dan zat ze vast aan het touw en werd ze vijf meter omhoog gehesen. En vervolgens als op een schommel heen en weer zwaaien, van helemaal links boven het podium tot helemaal rechts. Tenslotte werd ze dan in een wit gordijn geslingerd en verdween ze door een spleet. Dat alles in het halfdonker, met drie gekleurde schijnwerpers op haar rug en

gele en rode linten aan haar enkels. Ze kon het zelf natuurlijk niet zien, maar ze zeiden dat het een sprookjesachtig effect gaf. Nee, Meg was klaar.
Maar, al was ze klaar, ze kwam zo vaak als ze kon en bleef dan tot het licht uitging. Hier was ze thuis.
Meg had een kleine rol in CAVIA'S HOREN IN DE GROENE BAK, de nieuwste productie van Het Hemeltheater. En omdat haar vader de baas was van Het Hemeltheater, mocht ze meedoen.
Meg deed ook graag mee, omdat Mark er altijd was. Hij was wel een stukje ouder dan zij, maar hij was nog net binnen haar bereik, zo te zeggen. Donkerblond, niks bijzonders. Blauwe ogen, niks bijzonders. Klein, niks bijzonders. Grote mond, als hij lachte, was hij één grote mond. Niet echt bijzonder. Lieve, zachte stem. Plagerig, grappig. Niets bijzonders, maar alles bij elkaar heel, heel bijzonder. Dat kun je niet uitleggen.
Mark zat op de toneelschool en liep stage bij Het Hemeltheater. Hij moest zorgen voor de attributen, zoals de touwen, de schijnwerpers, de linten en, heel belangrijk, de cavia's.
'Schiet op,' zei Meg tegen Troetel in de spiegel. 'Aan het werk!'
Ze stond op, verkleedde zich en liep twee trapjes omlaag en twee omhoog en door een gangetje en drie hoeken om naar het podium van het oude theater.
Daar was niemand.
Dacht ze.
'Dag Meggie. Dag Meggie.'
Meg schrok, maar moest even later glimlachen. Achter een geluidsbox stond Havana.
Havana was een bruine man van zeker zestig. Hij kon onwaarschijnlijk goed jongleren. Met drie bolhoeden, maar dat scoorde niet meer tegenwoordig. Ooit had hij een act op een éénwielige fiets van drie meter hoog. Daarmee kon hij de flamenco dansen. Havana vertelde dat hij in Las Vegas aan de slag had gekund. Voor een miljoen. Maar daar had hij geen zin in gehad. 'Voor

nog geen miljoen,' zei hij. Hij lachte er wel een beetje chagrijnig bij. De brief met het mooie aanbod was verloren gegaan.
'Dag Havana, hoe gaat het ermee?' vroeg Meg.
'Ach, wat zal ik je zeggen. Wat zal ik je zeggen.'
Havana sprak een beetje grommend, maar beslist niet onvriendelijk. Misschien kwam het van de sigaar die hij altijd tussen zijn lippen had. Hoewel die nooit aan was. Hij was achttien jaar geleden gestopt met roken. Zei hij.
'Wat zal ik zeggen. Niet best, eigenlijk. Ik heb nog zes weken om mijn act in te studeren. Dat lukt me nooit. Nooit.'
Havana had de rare gewoonte soms dingen twee keer te zeggen. Alsof hij zijn eigen woorden onmiddellijk weer vergat. Meg had er nooit naar gevraagd, maar ze dacht dat het met het ongeluk te maken had.
'De act met de borden? Ik heb je wel eens met die bolhoeden bezig gezien. Dan moet het met die borden toch ook lukken?'
'Kind, je weet niet wat je zegt. Ik ben getraind om dingen op te vangen. Om ze keurig op te vangen. Dat is erin geramd. Dat zit erin, dat kun je niet zomaar loslaten, begrijp je? Begrijp je? Zes weken, meer niet. In zes weken moet ik alles afleren. Lukt me nooit. Wat zeg ik? Dat lukt me nooit. Zo.' Hij gooide wat borden in de lucht en ving ze keurig op. 'Zie je wel! Het lukt me niet!'
'Sterkte, Havana. Tot straks!'
Meg liep het podium over en dook de coulissen in aan de overkant. Daar was Mark bezig met de touwen en het tuigje waar ze over een kwartier ingeklikt zou worden. Er liep een zweetdruppel over zijn voorhoofd. Hij lachte toen hij Meg zag. Zijn hele hoofd lachte.
'Ha! Daar ben je! Heb je er zin in? Je touw wel! Ik heb het nog een stukje hoger vastgemaakt, je zwaait nu twee meter verder. Mooi, of niet!'
Het kon Meg niet hoog of ver genoeg gaan.
'Leuk!'
'Ik ben bijna klaar, dan hijs ik je op.'

Op de een of andere manier klonk dat heel prettig uit zijn mond. Het werd een leuke middag. Tien keer werd ze omhoog getakeld en mocht ze heen en weer zwaaien en door het witte doek duiken. Alles ging perfect. Om halfzes troffen alle artiesten elkaar in kleedkamer 3, die was het grootst. Meg dronk een cola, haar vader een witte wijn en Havana een wodka. Mark en de anderen dronken pils. Het kratje was snel leeg.
En tijdens dat gezellige gedoe merkte Meg dat haar gedachten afdwaalden.
Mark had gevraagd of ze zin had om die avond naar *Tante Toos* te gaan, een leuk café om de hoek van de Turftorenstraat. Op een ander moment zou ze ja gezegd hebben. Maar nu had ze andere plannen. Ze vond het zelf nogal stom en ze begreep het ook niet goed. Waarom ging ze in vredesnaam niet gewoon met Mark naar *Tante Toos?*
Beau.
Ze wilde naar de chatroom. Nee, ze moest naar de chatroom. Naar de Young & Lovely Chatroom.
Als Troetel.
Of als Wuftie, om wat rond te snuffelen.
Heel misschien als Sister.
Beau.
Er was niks mis met Mark, maar hij was echt. Hartstikke leuke vent, maar je had niets aan je muis, je kon niet klikken. Het was belachelijk, maar soms is het lekkerder om te kunnen klikken. Een film over liefde is mooier dan de liefde zelf, een boek spannender dan de echte wereld. Zoiets. Beau was niet echt, die woog niks. Met Beau hoefde ze niets maar mocht ze alles.
Veilig.
Spannend, maar toch veilig, dat was het.
Beau.
Vanavond ging ze op zoek naar Beau.

3

'Jij nog een beetje rijst, Peter?' Megs moeder keek zorgelijk in de pan. Veel zat er niet meer in. 'Met een kipfiletje?'
'Nee, dank je, het was heerlijk, maar het was voldoende.'
Megs moeder zuchtte zachtjes, per ongeluk.
'En jij, Meg?'
'Pff, nee hoor.'
'Nou, dan denk ik dat ik nog maar wat neem. Het is zonde om weg te gooien.'
'Vooral doen,' zei Megs vader. Hij spreidde zijn servet op tafel en zette het zoutvaatje er midden op. Daarna vouwde hij het zaakje dicht en pakte het met zijn rechterhand op. 'Let op!' Hij blies even op het witte pakje, legde het voor zich neer en gaf een klap aan de onderkant van de tafel. 'Zo! Waar is het nu? Wat denk je?'
'Onder de tafel,' zei Meg. 'Zoals altijd.'
'Heel goed!' Nu gaf hij een klap boven op de tafel. 'En nu?'
'Nu zit het weer in het servet,' zei Meg. 'Net als vorige week en de week daarvoor. En net als een maand geleden. Knap, hoor.'
'Mm. Goed. Ik geloof dat het tijd wordt voor een nieuwe truc.'
Megs moeder had nog een laatste stukje kip voor zich. Ze twijfelde, zag Meg. Het kon makkelijk in een keer naar binnen. Maar als ze het in tweeën sneed, had ze er langer lol van. Ze sneed het stukje in tweeën en stak de helft in haar mond. Maar nu had ze opnieuw een probleem. Ze had weer een laatste stukje. En dat kon nog best een keer doormidden. Op dat moment nam ze een kloek besluit. En weg was de kipfilet. Meg glimlachte. Het overkwam Meg vaker, dat ze zich juist op zo'n idioot moment realiseerde dat ze van haar moeder hield.
'Zo,' zei Megs moeder. 'Dat was lekker. Weet je waar ik nou zin

in heb? Lekker op zaterdagavond een spelletje. Kaarten of zo. Peter?'
'Sorry, schat. Ik heb een tas vol werk bij me. De caviatruc, het onderwaterbed, de maskers, ik heb echt geen...'
'Laat maar. En jij, Meg? Zullen we vanavond...'
'Vanavond liever niet. Ik heb meer zin om lekker op mijn kamer... eh...'
Megs moeder zuchtte, stond op en ruimde af.
'Ik ga naar boven. Dag.' Weg was Meg.

Eerst maar eens als Wuftie.
Even binnenkijken. Als Beau er was, kon ze kijken wat hij deed, hoe hij zich gedroeg, of hij iets met Wuftie wilde. Als het nodig was, kon ze Troetel ook nog inzetten.
<wuftie> komt de chatroom binnen
<hannibal> *dag wuf*
<girlz2> *zeg hannibal, je was met mij aant prate*
<hannibal> *nwen? Ben ik met je getrouwd soms?*
<zafff> *wuftie, zulle we privee*
<wuftie> @xxx{::>
<zafff> *ok, begrepen. Gezellig is anders*
<BeauX> komt de chatroom binnen
Meg liet het toetsenbord los. Daar was hij. Even niks doen. Even kijken.
<girlz2> *ha beau! Eindelijk!*
Zo, die heeft haast.
<zafff> *zeg girlz, ik ben er ook nog hoor. Zulle we privee?*
<BeauX> *dag girlz*
<girlz2> *wegwezen zafff.* kick@(zafff)
Wat zou Beau doen?
<girlz2> *heb je gemist, beau*
Ze heeft echt haast!
<BeauX> *Het gaat niet goed met je, girlz. Misschien moet je us naar een gewoon cafe*

Mwah. Beetje onvriendelijk. Aan de andere kant: ze vraagt er wel om.
<girlz2> *dag wuftie*
Hier heb ik geen zin in.
<wuftie> *:-6. :-l*
Zo, die zat.
<girlz2> *leuk ben jij*
<BeauX> *;-) wuftie*
Een knipoog. Hij geeft Wuftie een knipoog! Zit ik een beetje op hem te wachten, geeft hij Wuftie een knipoog!
Ho even. Hij geeft *míj* een knipoog. Mij? Ja, nee, Wuftie! En wat als ik er als Troetel inkom? Gaan we dan ook knipogen?
<BeauX> *((((wuftie))))*
Ja, die ken ik. Die knuffel heb ik al eerder van hem gehad. Nou ja, Sister dan.
<BeauX> *kga weer weg, wuftie. Ik w8 eigenlijk op iemand anders*
Shit! Wat nu?
<wuftie> *op wie dan?*
<BeauX> *gaat je nx aan wuf*
<wuftie> *blijf nog 2 minuten. Ok?*
<BeauX> *nougoettan*
<wuftie> verlaat de chatroom
<zafff> *is er nog wat te beleven hier? Iedereen smeert m*
<sister> komt de chatroom binnen
<zafff> *ha sister! Alles goed? Zullen we privee?*
<sister> *eve niet*
Zou hij me nog kennen?
<zafff> *he sis, hoe oud ben je? Ik ben 15 maar ik zie er ouder uit hoor en ik ben blond en 1 meter 81. En jij?*
<sister> *ik niet*
<BeauX> *dag ((((sister))))*
<sister> *dag beauX*
<BeauX> *kan r geen knuffel vanaf?*
<sister> *(beauX)*

<BeauX> *wat een kleintje*
<sister> *ik ken je niet*
<BeauX> *maar ik jou wel!*
<sister> *ja, dat zei je laatst*
<BeauX> *kwist dat je zou komen, sister*
<sister> *oja? Ik was het eerst helemaal niet van plan*
<BeauX> *jawel hoor*
<sister> *niet*
<BeauX> *volgens mij heb je gisteren ook even gekeken*
Shit! Hoe wist hij dat nou weer?
<sister> *hoe kom je daarbij?*
<BeauX> *gisteren was je in de chatroom*
Ja, dat had hij natuurlijk kunnen zien!
<BeauX> *maar je reageerde niet*
<sister> *ik was even cola halen*
<zafff> *wat is dit voor soft gezwam*
<BeauX> *!@#$%! zafff*
<zafff> *ga dan privee, :-(☹)*
<BeauX> *laatste keer: !@#$%!*
<BeauX> *sorry voor het vloeken, sister. Die halve zool moet weg. Zullen we ff priveetje?*
<sister> *ok*
Dat was lang geleden. Sister ging bijna nooit privé. Troetel en Wuftie deden het regelmatig, maar dat kon geen kwaad. Die waren ouder en hadden meer ervaring.
<BeauX> *ben je r?*
<sister> *ja*
<BeauX> *ikook*
<sister> *vertel je nu hoe je wist hoe ik eruitzie?*
<BeauX> *ik zei al dat ik een goed geheugen heb*
<Sister> *nou en?*
<BeauX> *kort zwart haar en bruine ogen. ☺☺☺☺*
Het klopt. Het klopt allemaal!
<sister> *ken ik jou?*

<BeauX> *ik denk het niet*
<sister> *maar jij mij wel*
<BeauX> *ja*
<sister> *echt?*
<BeauX> *wat is echt? Ben jij echt? Ben ik echt? Sister, die ken ik. Cybersister*
<sister> *en ga je me nu vertellen hoe je het weet?*
<BeauX> *morgen*
<BeauX> *misschien*
<sister> *hoezo morgen? Waarom niet nu?*
<BeauX> *dan blijft het spannend*
<sister> *je bent een eikel, beaux*
<BeauX> *nee hoor. Ik ben verder heel aardig*
<sister> *en nou denk jij dat ik morgenavond weer met je ga chatten, omdat jij het zogenaamd spannend houdt*
<BeauX> *klopt helemaal*
<sister> *dat kan je dus mooi vergeten*
<BeauX> *bedoel je dat je morgen niet meer wilt?*
<sister> *ja*
Dit was stom. Ze wilde wel morgenavond. Omdat ze wilde weten hoe hij haar kende, maar ook omdat ze meer van hem wilde weten. Dit was eindelijk eens een chat die haar kietelde.
<BeauX> *jammer dan. Ik ken je maar een klein beetje hoor. Te weinig, vind ik eigenlijk* ☺☺
<sister> *wat zit je nou weer te lachen*
Dit is meer iets voor Wuftie of voor Troetel! Wat moet ik hiermee?
<BeauX> *klach graag*
Hoe zou Wuftie dit aanpakken?
<sister> *wat doe je nog meer graag?*
<BeauX> *scooteren*
Scooteren? Daar vond ze nou net niks aan. Stom gedoe.
<sister> *ik hou niet van scooters*
<BeauX> *ik ook niet. Scooteren is surfen, zwerven, hoppen. Ben je analfabeet of zo?*

<sister> *ik ben niet zo'n cyberjunk*
<BeauX> *ik vergeef het je*
<sister> *hoe zie je eruit?*
<BeauX> *zoals je me voor je ziet als je je ogen dichtdoet*
<sister> *donker en groot dus*
<BeauX> *klopt!*
<sister> *daar ben je dan mooi ingetuind. Ik zag een kleine met rood haar*
<BeauX> *je speelt vals. Nou goed. Ik ben inderdaad niet zo groot*
<sister> *en ook niet donker zeker*
<BeauX> *nee. Blond*
<sister> *roodblond?*
<BeauX> *roodblond, ja*
<sister> *ben je er weer ingetrapt. Ik heb mijn ogen helemaal niet dichtgedaan. Je lult maar wat, he*
<BeauX> *net als jij. Daarom zitten we hier toch?*
<sister> *en hoe oud ben jij dan?*
<BeauX> *je gelooft me toch niet*
<sister> *nee. Maar zeg het toch maar*
<BeauX> 16
<sister> *echt waar?*
<BeauX> *echt echt waar. Ik wil r wel iets meer van maken als je r op staat*
<sister> *goed. Doe er maar een bij*
<BeauX> *ik ben* 17
<sister> *echt waar?*
<BeauX> *echt echt waar. En jij?*
Ja, wat nu? Troetel is 16, Wuftie 17. Maar Sister was Meg en die haalde dat niet. Aan de andere kant: Troetel en Wuftie waren ook Meg, dus ze kon alle kanten op. Maar ze was nu Sister.
<BeauX> *he sis, waar ben je? Zit je in _____/ of zo? Of wil je naar]===°[*
<sister> *nee, ik zit niet in bad en ik ben niet naar bed*
<BeauX> *jammer. Maar hoe oud ben je nou?*
<sister> *doe maar...*
<BeauX> 16?

<sister> *das goed*
Waarom ook niet.
<BeauX> *mooi. Daar doe ik het voor. En nou moet ik weg*
<sister> *weg? Waarom? Je bent er net. Waar ga je heen?*
<BeauX> *je moet op het hoogtepunt stoppen. En ik moet nog scooteren*
<sister> *waar? Met wie?*
<BeauX> *ja, met wie! Dat weet je nooit. Misschien met jou, zonder dat je het weet. Of zonder dat ik het weet. Want jij heet geen Sister en ik geen BeauX. Of wel soms? Dasis, tot morgen. Of anders tot volgende week. Misschien vertel ik je dan hoe oud je echt bent*
<BeauX> verlaat de chatroom
Meg keek naar het scherm en zag dat ze alleen was. Drie seconden geleden had ze een jongen onder de toppen van haar vingers gehad. Ze had hem met twee, drie vingers aangetikt, betrommeld, bespeeld en gevoeld. Ze had hem gezien, achter de korte zinnetjes, achter het scherm. Ze had hem gemaakt en kon hem bijschaven, overmaken, verkleinen en vergroten, verdonkeren en verblonden, verjongen en verouderen, waar ze maar zin in had. Hij was van haar.
Zo ging het tenminste altijd. Tot nu toe.
Er was iets. Er was iets met de controle. Het beeld ontsnapte, ging op de loop. De overkant hoorde virtueel te zijn, een webdroom, een fantasie. Een speeltje van lucht.
Maar de lucht, de fantasie, het speeltje hield zich niet aan de afspraak.
Het deed iets terug. Het pakte de controle af.
Het leefde bijna.

4

De kamer was niet ruim, maar groot genoeg voor een brede tafel met twee pc's. De gordijnen waren dicht, terwijl het toch allang licht was.
Maar eigenlijk waren de gordijnen altijd dicht.
De man met de grote handen hield niet zo van licht. Ja, het licht van het scherm, dat vond hij mooi. Maar met zonlicht had hij niks. Bovendien kon je met gordijnen het hele zieke zaakje buiten houden. Hij had geen enkele behoefte aan een gedag knikkende buurvrouw, domme praatjes met de postbesteller of aan de aanblik van druilerige bomen en de troosteloze flat aan de overkant. De wereld daarbuiten was de zijne niet, er had niets anders opgezeten dan er zelf een te maken. Een kleine wereld misschien – een bed, een stoel, een brede tafel en twee pc's – maar wel een waar hij zich thuis en op zijn gemak voelde.
Nee, mooie uitvinding, gordijnen.
De man met de grote handen zat zomaar wat te surfen. Hij had zijn hoofd er niet bij. Hij dacht aan de afgelopen week. En aan de volgende.
Het ging beslist niet onaardig. Twee nieuwe contactjes had hij opgebouwd. Niet slecht. Er lagen kansen.
Aan de eerste moest nog veel aandacht worden besteed. Dat zou geen eenvoudige klus worden. Hij vertrouwde de andere kant niet helemaal. Het kon een jongen zijn of een tweetal. Dat moest hij eerst uitzoeken. En verder moest hij altijd op zijn hoede zijn voor de echt gevaarlijke valsspelers. Die paar gefrustreerde fatsoensrakkers die je in de val wilden lokken. Maar zorgen maakte hij zich niet. Hij was een geroutineerde chatter die alle veiligheden had ingebouwd.

Het tweede contact was veelbelovender. Natuurlijk, ook die aarzelde wel even. Het zou hem wantrouwend gemaakt hebben als dat niet zo was. Het hoorde erbij. Dat contactje speelde een beetje dat ze de boot afhield. Maar ondertussen, voelde hij, was ze buitengewoon nieuwsgierig.
En daar moest je het van hebben.
De nieuwsgierigheid moest het winnen van de twijfel.
De kunst was dat gevecht de goede kant op te sturen. Niet dwingend, niet duwend, dat vooral niet. Kietelen, de boot afhouden, vragen en dan weer zwijgen, zo moest dat. Tot de andere kant rijp was. Gaar en klaar voor consumptie.
Ja, dat was een kunst. En die verstond hij als de beste, wist hij.
De man met de grote handen tikte zich een site binnen, maar had zijn hoofd er niet bij.

'Weet jij waar de krant is, Peter?'
Megs moeder tilde een kussen op van de bank en liep naar de schaal met rommelpapier. 'Hier is hij ook niet. Waar is dat ding? Heb ik net koffie ingeschonken, is de zaterdagkrant weer zoek.'
'Ho! Karin! Stop de persen! Geen paniek! Vrouwen en kinderen eerst! Politie te paard! Hier is hij, schat!'
'Hij is verfrommeld! Wat heb je nou weer gedaan?'
'Verfrommeld, verfrommeld, je bedoelt "in gebruik". Hij heeft een belangrijke functie vervuld bij mijn truc. Een wereldtruc.'
'Oh, is het weer zover. Hoe vaak moet ik dat nog zeggen? Gebruik dan een oude krant.'
'Deze was nog lekker stevig. En ik ben zo klaar. Ik heb alleen de voorkant nodig. Let op, Meg! Je weet niet wat je ziet!'
'Ik ken hem al, papa. En de vorige keer ging er iets mis.'
'Daarom ben ik ook aan het oefenen. Daar gaat hij!' Megs vader vouwde een zak van pagina 1. Daarna stak hij een kaars aan. Hij hield hem omhoog. 'Deze kaars is zwanger! Er zit een tweede kaarsje aan te komen! Misschien zelfs wel een tweeling! Let op!'
Langzaam en met een elegant gebaar liet hij de papieren zak on-

dersteboven over de kaars zakken, tot die niet meer te zien was. Toen frommelde hij de zak aan de onderkant dicht. 'Daar gaat hij! Pfff!' Hij blies een briesje naar de zak.
Hij ging inderdaad.
En hij had beter niet kunnen blazen. Het jaagde het vuurtje nog eens extra aan.
'Sodeballen! Weer mislukt! Ik doe iets fout!' Hij stampte de brandende flarden uit op het tapijt. Dat had niet veel last meer van een paar nieuwe gaatjes.
'Bijna gelukt, papa. Het scheelde niks.' Meg kon haar lachen net houden.
'Sorry, Karin. Nou ja, er stond toch niks in.'
'Dat zeg jij.'
'Oké dan. Hier en daar een bui, het pasgeboren olifantje is gestruikeld, een parachute met een voedselpakket ging niet open, met fatale gevolgen voor een nietsvermoedende koe, en er was een uitslaande brand vanwege onvoorzichtig gedrag. Niets om je druk over te maken. Kom Meg, we moeten gaan.' Megs vader wenkte, griste een versleten jack van de kapstok in de gang en deed de voordeur open.
Een rustige straat. Om de twintig meter een boom, een brede stoep en zeventig jaar oude, een beetje verslofte huizen met drie verdiepingen.
Megs vader had een fiets van dertig jaar oud. Een bakkersfiets met een grote mand voorop. Niet dat die lekker fietste of dat hij die mand nodig had, welnee. Hij vond het leuk om ermee over straat te gaan. En dan had hij ook nog altijd een gebreid mutsje op. Zelfs als het warm was. Meg vond het allemaal een beetje overdreven. Een vent van vijfenveertig die de lollige kerel uithing. En toch hield ze wel van lollige kerels, en zeker van haar vader.
'Wat ben je stil vandaag,' zei hij. 'Is er iets?'
Nee, er was niets. Nou ja, het sloeg nergens op, maar ze was er wel mee bezig. De hele week had Beau zich niet laten zien. En

vanavond was het 'volgende week'. Het deed haar meer dan ze wilde.
'Nee, er is niets.'
'Wel. Ben je verliefd?'
Nee, ze was niet verliefd, wat een onzin. Het idee.
'Nee, hoe kom je erbij. Slaat echt helemaal nergens op.'
'Ludduvuduh?'
'Ludde... wat?'
'Laat maar. Liefdesverdriet? Hebben we allemaal wel eens. Hoort erbij. Kun je me rustig vertellen.'
'Hou op, papa. Er is niks.' Sommige dingen kun je niet uitleggen. En zeker niet aan je vader.
'Je kijkt ook niet verdrietig, dus het zal allemaal wel meevallen.'
Hou alsjeblieft op. Het lijkt alsof het belangrijker wordt dan het is. En het is helemaal niet belangrijk.
'Zullen we *Waar is de cavia gebleven?* zingen?' Dat was het slotlied van de voorstelling van Het Hemeltheater. Megs vader fietsbelde en viel in...
'Arme cavia, zo jong zo zacht... '
'Andere keer, papa.'
'Vochtig neusje, warme vacht...'
'Ja, ik weet het wel, papa.'
'Zo onvoorzichtig in de nacht...'
'Ja, pa.'
'Ik heb een poos op je gewacht...'
'Pa.'
'Maar helaas, de zwaartekracht...'
Megs vader kon mooi verdrietig zingen. De mensen keken om toen hij luidkeels en met losse handen de laatste zin herhaalde. En daarna keken er nog meer mensen om, maar gelukkig viel het allemaal mee.

'Dag Meg, wat leuk om je te zien. Ik wil niet veel zeggen, maar wat leuk om je te zien.'

'Dag Havana. Hoe gaat het met je truc?'
'Iets beter, maar ik zal er nog hard aan moeten trekken. Veel tijd heb ik niet meer.' Havana pakte vier borden en gooide ze in de lucht. Een keer greep hij mis, de rest ving hij keurig op. 'Zie je? Het is nog niet wat het wezen moet.'
'Nog drie, moet lukken,' zei Meg.
'Je hebt makkelijk praten,' zei Havana. 'Jij hoeft alleen maar door de gordijnen te vliegen. Jij moet dingen vasthouden, ik loslaten. Dat is veel moeilijker.'
'Komt best goed, Havana,' zei Meg, maar zeker was ze er niet van. Ze was nergens meer zeker van.
Eigenlijk had ze helemaal geen zin vandaag. Door de gordijnen vliegen, stom gedoe. Stomme trucs. Havana met zijn geniaal geklungel. Papa met zijn kinderachtige acts. Stomme muziek.
En zo kabbelde de zaterdag verder.
Even een toch wel leuk gesprek met Mark. Zes meter vallen en heen en weer zwaaien, wat ooit spannend was. Plichtmatig het slotlied oefenen: de cavia met zijn vochtige neusje, dat wist ze nou wel. De gebruikelijke kroket om vijf uur. Drie minuten de slappe lach met Mark. Dat maakte wel wat goed.
Meg deed haar best, maar veel hielp het niet.
Vanavond was 'volgende week' en dat zat de hele dag hinderlijk voor te dringen.
Stom. Sloeg nergens op.
Hou op met dat gezeur, dacht Meg. Jij bent de baas. Je hoeft niets maar mag alles. Nog een keer: jij bent de baas.
En dat was dus het probleem.
Ze mocht of hoefde niet naar de chatroom, vanavond. Ze moest.
Ze mocht niet als Wuftie. Ze hoefde niet als Troetel, nee.
Ze moest als Sister, geen ontkomen aan.

Negen uur, het werd tijd.
Tien minuten had ze rondgekeken als Troetel. Dat voelde eigenlijk wel lekker. Ze had wat gekletst met Wajongetje, heel gezel-

lig. Het ging heerlijk over niks, tot Wajongetje informeerde naar de kleur van haar ondergoed. Daar had ze even geen zin in. Troetel verliet de box.

<sister> komt de chatroom binnen

Even stil blijven zitten, kijken wat er gebeurt.

<prutje> *daar is sister weer, die heb ik eerder gezien*

<zangzaad> *ik heb zin aan* (_) *en* l***l

<prutje> *dag sister* (o)(o)

Het gesprek was weer bijzonder boeiend.

<zangzaad> *ik heb ook zin aan een* (__(______________(_)~~~~~~~~

Ja, rook je maar dood.

<prutje> *sister, leef je nog?* ;-) ;-)

<zangzaad> *hou tog op over sister. Ik ben een beetje :*- En jij?*

Een beetje dronken? Heel erg dronken, bedoel je.

<prutje> *l@en we ff privee gaan, zaadje*

<BeauX> komt de chatroom binnen

Nou en?

Meg voelde dat er extra bloed via haar hals naar haar hoofd opsteeg. Haar gezicht werd een beetje warm. Wat was dit voor onzin?

<BeauX> *dag (((((sis))))) ik weet dat je er bent*

<sister> *dag ((bo)). Ik d8, ik chat een beetje rond vanavond*

<BeauX> *toevallig*

<sister> *toevallig ja*

Niks toevallig.

<BeauX> *beetje scooteren*

<sister> *ja*

<BeauX> *kwil met je kletse. Zulle we priveetje?*

<sister> *nou vooruit*

'Nou vooruit', wat een flauwekul. Het speelde de hele week al door haar hoofd.

<BeauX> *daar zijn we <3*

Ja, <3, beetje hardop zeggen dat het over de liefde gaat. Wat moet ik nou doen?

<sister> (^_^)

<BeauX> *ik heb aan je ged8 deze week. Veel*
<sister> *waarom was je er dan niet?*
<BeauX> *mocht niet. Had cyberverbod van pa*
Klonk redelijk.
<sister> *en vanavond ben je weer vrijgelaten?*
<BeauX> *kben los. Helemaal los, overal voor in*
<sister> *okee, vertel me dan eindelijk hoe je weet etc.*
<BeauX> *goed. Het is heel simpel*
Hoezo simpel? Ik ken hem niet en hij mij wel! Ik zit al meer dan een week met een knoop in mijn lijf!
<BeauX> *ik had je al eerder gespot. Ik ken sister al een paar maanden*
Hoezo? Wat bedoelt hij?
<sister> *ik ken jou helemaal niet. Pas een week*
<BeauX> *welnee.*
Welnee? Welja!
<BeauX> *kheb wat gesprekjes van je gevolgd met anderen. Moet je maar prive gaan, eigen schuld*
Shit! Ja, dat kon natuurlijk. Maar had ze dan ooit openlijk als Sister verteld dat ze... ze kon het zich niet herinneren.
<sister> *dus zo ken je me*
<BeauX> *ook ja*
<sister> *wat bedoel je?*
<BeauX> *kben een keer met je prive geweest. Erg leuk hoor*
Wat? Niet met Beau, daar was ze zeker van.
En toen knalde het in haar hoofd.
Stom, naïef gekleuter, onwaarschijnlijk dom.
Beau kon iedereen wezen. En iedereen kon Beau zijn.
Ze had alleen de toetsen onder haar vingers, het scherm en een naam. Een naam van iemand, maar zeker niet van die aan de overkant. Dat was alles. De rest was fake, namaak, onecht, cyber en virtueel. Net als Troetel en Wuftie. En net als Sister. Meg was echt, maar Sister?
En bestond Beau? Ja, de zinnetjes met <BeauX> ervoor. Die bestonden.

<BeauX> *ben je er nog?*
<sister> *ja, ik ben er nog. Wie was je toen we prive waren?*
<BeauX> *kheb al genoeg verklapt. Kwil het een beetje spannend houden*
Meg hield wel van spannende dingen, maar ze wist niet of dit daaronder viel. Het kietelde wel, dat was zo klaar als een donderslag bij Keulen of hoe zeg je dat.
<sister> *je speelt vals. Jij kent mij, maar ik jou niet*
<BeauX> *ik ken jou ook niet. Ik ken alleen Sister*
<sister> *maar je weet wel hoe ik eruitzie en hoe oud ik ben*
<BeauX> *eigen schuld*
Dat was zo.
<BeauX> *als het tenminste klopt wat je ooit vertelde*
Als Troetel klopte het natuurlijk niet. Als Wuftie niet. Maar als Sister wel. Stom. Nooit meer doen.
<BeauX> *kzou best willen weten of jij Sister bent. Kval een beetje op Sister. Mag dat?*
<sister> *je gaat je gang maar*
<BeauX> *wil jij niet weten of ik BeauX ben?*
Natuurlijk wilde ze dat weten. Ze was stiknieuwsgierig.
<sister> *al zou ik dat willen, daar kom ik toch niet achter. Je hebt al verteld dat je rood haar hebt, blond bent, groot, klein. Je denkt toch niet dat ik je nog geloof?*
<BeauX> *kben niet groot, wel donker. Net als jij*
<sister> *jadag*
<BeauX> *er zit maar 1 ding op*
<BeauX> *als je wilt*
<sister> *als ik wat wil?*
<BeauX> *als je wilt weten wie ik ben*
<sister> *en als ik dat echt zou willen weten, wat dan?*
<BeauX> *we spreken ergens af. Dan kun je altijd nog zeggen dat ik BeauX niet ben. Of dat BeauX anders is dan je hoopte of d8*
Oef! Waar ging dit heen? Was dit een spelletje? Ze had op internet wel vaker spelletjes gespeeld. Zullen we zaterdag... en dan kwam er een leuk, gevaarlijk en spannend plan op het scherm.

Soms ging het over vrijen. Dat was lachen, zolang er een kabel en een muis tussen de ander en Wuftie, Troetel of Sister zat.
<sister> *heeft geen zin*
<BeauX> *waarom niet?*
<sister> *ik hoorde laatst een mop. Ik zal hem vertellen. Misschien begrijp je dan wat ik bedoel*
<BeauX> *leuk*
<sister> *even je kop houden. Let op*
Pietje loopt langs de gracht. Aan de overkant ziet hij Jantje aankomen. Maar hij weet het niet zeker, want het is mistig. Pietje denkt: daar is een brug, dan steek ik over en weet ik of het Jantje is.
Jantje loopt aan de overkant en ziet Pietje naderen, maar hij weet het niet zeker, want het is mistig. Jantje denkt: daar is een brug en dan steek ik over en dan weet ik of het Pietje is.
Dus ze komen mekaar tegen op de brug.
Zijn ze het geen van beiden!
Snap je?
<BeauX> *ehh... kgeloof het wel*
<sister> *je begrijpt er niks van, volgens mij. Wij zijn het geen van beiden, stupid!*
<BeauX> *o, zo. Maar daarom kunnen we toch nog wel wat afspreken? Wat doe jij ingewikkeld, zeg*
Misschien had hij wel gelijk. Waarom deed ze zo moeilijk?
<BeauX> *hallo, ben je r nog? Wat dacht je van volgende week vrijdag? 9 uur savonds?*
Meg wist donders goed waarom ze zo moeilijk deed. Het was de ingebouwde wekker die afliep. Het rode lampje, het stille alarm.
<sister> *geen zin in. Ik vind het wel zo spannend, zo*
<BeauX> *je durft niet!*
<sister> *ik ben voorzichtig, noem het maar zo*
<BeauX> *waar ben je bang voor?*
<sister> *dat je met zijn drieën komt. Dat je een ouwe lul van 40 bent. Of een knulletje van 10, of een vrouw*

<BeauX> *als je zo begint. Dat geldt ook voor mij. Misschien ben je een vrouw van 30. Of een kerel*
Dat was waar.
<BeauX> *maar ik geloof jou. Jij bent een meisje, niet groot en donker en met bruine ogen. Ik durf het aan*
<sister> *en waarom zou ik jou geloven? Bewijs maar eens dat je die leuke jongen bent die zich BeauX noemt*
<BeauX> *kan ik niet*
<sister> *daarom gaat je plannetje niet door*
<BeauX> *jammer. Kan ik je echt niet overtuigen?*
<sister> *ik zou niet weten hoe. En nou moet ik weg. Dag bo*
<BeauX> *Kben er morgen weer. Jij ook? Ik bedenk nog wel iets. Kga je overtuigen! Kwil je zien!*
<sister> *je doet je best maar. Dag*
<sister> verlaat de chatroom
<BeauX> *dag (((((sis)))))*
<BeauX> *shit. Te laat*
<BeauX> verlaat de chatroom
Ja, me hoela, dacht Meg, ik ben niet gek.
Ze had het niet zo direct willen zeggen, maar ze kende de verhalen.
Het was nooit een vrouw in plaats van een man. Nooit drie jongens. Nooit een jonger ventje. Het was gewoon de jongen met wie je afsprak.
Bijna altijd.
En heel af en toe een freak. Een ouwe lul met verkeerde plannen.
Daar tuinde ze dus mooi niet in.

5

'Mark, waar is de doos met cavia's? Ik heb er vier nodig, maar doe er maar twee extra. Ik kan wel een paar reserves gebruiken, het gaat nog lang niet zoals het straks moet. Sodeballen, wat is dat lastig met vier! Veel moeilijker dan met sinaasappels of zo!'
'Logisch, Peter. Cavia's zijn niet rond.'
'Die haartjes, die blijven tussen je vingers zitten. Dus net als je ze omhoog wilt gooien, blijven ze hangen. En dan kom je met die andere niet goed uit. Valt er weer een op de grond. Heel vervelend.'
'Ik had ook liever sinaasappelen gehad. Geeft minder rommel.'
'Schiet nou maar op.'
'Alsjeblieft, hier zijn er zeven. Nog een erbij voor het verlies. Ik heb ze in een zakje gedaan. Goed vasthouden!'
Megs vader pakte de zak aan en klom op de barkruk. Dat viel nog niet mee, want de kruk was drie meter hoog. Daardoor leek het vanuit de zaal alsof hij een klein jongetje was. Toen hij zat, pakte hij een cavia uit de zak en klemde die tussen zijn dijen. Hij had geen zin om direct alweer naar beneden te moeten om cavia's te rapen. De tweede deed hij tussen zijn knieën. De derde in zijn linkerhand. En de vierde had hij in zijn rechter. Heel even. Maar het beestje had gladde haartjes en gleed onder zijn duim vandaan.
'Sodeknetter zeg! Mark! Daar! Onder dat gordijn! Pak hem! Mooi, gelukkig. Gooi hem even omhoog, wil je?'
Mark was niet zo'n sporttype. Gooien ging hem niet goed af. Pas na drie keer kon Megs vader het beestje vangen.
'Die ziet er niet best meer uit,' zei hij. 'Ik neem wel een ander.'

'Ik heb er nog twintig in de doos,' zei Mark.
'Dat moet genoeg zijn,' zei Megs vader. Maar na een uur oefenen, was hij daar niet meer zo zeker van.
'Dag papa!'
Meg liep het podium op. Ze had net een halfuur langs de gordijnen heen en weer gezwaaid en was een beetje dizzy. Lekker dizzy.
Dat kwam ook door gisteravond.
Het was natuurlijk een lekker spannende chat geweest. Zo een waar je in je fantasie alles van kon maken. BeauX was leuk en wilde haar ontmoeten. Dat was altijd grappig, zolang je niet hoefde. En ze hoefde helemaal niks.
Wat nog beter voelde: ze had de controle terug. Zij was weer de baas. Ze had immers nee gezegd.
'Gaat het goed?' vroeg Meg.
'Kost een paar cavia's, maar dan heb je ook wat,' zei haar vader.
'Kan ik je helpen? Ik ben klaar met repeteren.'
'Misschien wil je onder aan de kruk gaan staan en proberen zo'n beestje op te vangen als ik er weer een laat vallen. Scheelt een hoop tijd.'
'Papa?'
'Ja, Meg? Oeps! Daar gaat er weer een! Vangen! Jammer. Volgende keer beter. Wat wou je zeggen?'
'Waarom zit je op die kruk te oefenen als je het nog niet goed kunt?'
'Omdat ik tijdens de voorstelling ook op die kruk... Eh, bedoel je... eh... dat ik net zo goed...'
'Ja.'
'Nooit bij stilgestaan. Als ik jou niet had!' Megs vader deed de overgebleven cavia's in de zak en klom naar beneden. Onmiddellijk begon hij weer te oefenen. Het ging al beter. Een groot voordeel was, dat de cavia's er een stuk minder verfomfaaid uitzagen als ze waren gevallen. Het scheelde tenslotte zeker twee meter.

'Je kunt het verder wel alleen af. Ik ga even naar Havana. Dag papa.'
'Dag Meg. Oeps, sorry beestje!'

Onderweg kwam Meg door de kleine zaal van het theater. Dat was het werkterrein van de vier Roemeense acrobaten. Ze hadden maar een paar nummers, en ze hadden er hun handen vol aan. En hun voeten.
Er was een grote Roemeen, een kleintje en de anderen zaten ertussenin. De grote ging op zijn handen staan. Dat ging nog wel goed. Nummer twee pakte de voeten van de grote Roemeen en stak ook zijn benen in de lucht. Zover waren ze nu.
Op de helft dus.
De nummer drie moest via een springplankje omhoog en de voeten van de nummer twee pakken en op zijn handen gaan staan. Dat was te moeilijk.
Het springen ging nummer drie goed af. Te goed eigenlijk. Telkens kwam hij te hoog uit en dook hij over de gastvrije voeten van nummer twee heen. Het zag er spectaculair uit, maar in het programmaboekje stond het heel anders vermeld.
En de kleine Roemeen was nog niet eens aan de beurt.
Toen Meg het podium opliep, nam nummer drie juist een aanloop. Hij sprong en kwam op twee voeten op het springplankje terecht. Even door de knieën en daar ging hij.
'Koika! Koika!' riep nummer drie. Hij zeilde in mooie stijl ruim over zijn wiebelende collega's heen. Erachter lag een matras om de klap op te vangen. Jammer genoeg was het maar een klein matras. De acrobaat kwam na een koprol bonkend tot stilstand.
'Koika,' riep hij weer, nu iets zachter.
Meg verstond geen Roemeens, maar vrolijk klonk het niet.
'Oef! Gaat het? Kan ik helpen?' Ja, wat zeg je op zo'n moment.
De grote Roemeen keek haar grijnzend aan en wees naar nummer drie. 'Koika! Koika!' Daar moesten de twee anderen hard om lachen.

Meg lachte een beetje terug en liep via de coulissen naar de sterrenkleedkamer.
Daar zat Havana met een sigaar tussen zijn lippen.
Hij schudde zijn hoofd.
'Dag Havana,' zei Meg. 'Is er iets? Gaat het niet goed?'
'Och Meg, wat zal ik je zeggen. Het gaat goed. Te goed, dat is het.'
'Mooi, toch?'
'Helemaal niet mooi. Helemaal niet.'
'Is het je truc?'
'Welke?' Havana deed meer acts over vijf weken.
'Nou, die met die borden.'
'Precies. Gaat nog steeds veel te goed.'
'En die andere?'
'Die met mijn been?'
'Ja?'
'Da's geen probleem. Eitje. Eitje, zou ik zeggen.'
'Gelukkig.'
De truc met het been zou het hoogtepunt van de voorstelling worden.
Het been van Havana.
Toen ze Havana een halfjaar geleden voor het eerst zag, stond hij te jongleren. Op één been. Dat was op zich niet zo bijzonder, wel dat hij drie kwartier later nog steeds zo stond. Havana kon niet anders, want hij had er maar een. Havana was de beste éénbenige jongleur ter wereld.
Hij trok een paar jaar geleden volle zalen met een bijzondere act. Hij begon dan te jongleren op twee benen, waarvan één namaak. Met drie knotsen. Halverwege, tijdens het gooien, ontkoppelde hij de prothese en gebruikte die als vierde knots. Zo gooide hij het been meters de lucht in en ving het achter zijn rug aan de enkel weer op. Het publiek kon er niet genoeg van krijgen. Havana ook niet.
En nu had hij een nieuwe act met zijn been.

Meg had hem een keer gezien. En hoewel ze tevoren precies wist hoe het zat, schrok ze zich toch te pletter. Het was gruwelijk en prachtig tegelijk.
Een wereldact.
Havana, heen en weer zwaaiend aan een touw, in de nok van het theater. Hij hing met zijn hoofd naar beneden, het touw zat om zijn enkel. Vijf meter eronder een net.
Minutenlang heen en weer en heen en weer, steeds hoger.
Tromgeroffel.
Tot het gebeurde.
Het beeld van het eenzaam bungelende been daarboven zou haar nog lang bijblijven.
Gruwelijk en prachtig.
'Meg?'
'Ja, Havana?'
'Wil je me een plezier doen? Een plezier of zo?'
'Tuurlijk.' Havana kon je niets weigeren. Als hij zou vragen of ze een pak speculaas, een bos wortelen, een doos wattenstaafjes of een blikje sigaren kon regelen, dan zou ze dat doen.
'Zou je een blikje sigaren voor me kunnen regelen?'
'Eh, ik denk het wel. Maar je rookt toch al jaren niet meer?'
'Dat klopt, ik kauw ze. En dan ben je er ook een keer doorheen.'
'Goed, ik ga wel even naar de winkel. Welk merk?'
'Maakt niks uit, meisje. Ik rook immers niet. Misschien wil je het even voorschieten? Ik heb vergeten geld te trekken.'
Zo was hij ook wel weer.
Meg verliet de kleedkamer, liep het donkere gangetje door naar de eerste coulissen en wandelde het grote podium op.
'Waar ga jij heen?' vroeg Mark.
'Sigaren halen voor Havana.'
'Huh? Ik ben vanmorgen ook al geweest.'
'Sodeju, hij is echt verslaafd! Hij eet twee pakjes per dag!'
'Zonder filter,' zei Mark.
'Dag!' zei Meg.

Weg was ze.
'Mark?' Megs vader was achter op het podium aan het oefenen. Naast hem stond de kruk van drie meter hoog. Het leek hem verstandig voorlopig vanaf het keukenstoeltje te werken. Goed idee van Meg. Het scheelde een hoop energie. En een hoop cavia's.
'Wat is er, Peter?'
'Hoeveel zitten er nog in de doos?'
'Hoezo, ben je er doorheen?'
'Bijna.'
'Even kijken. Eh... nog acht.'
'Doe me er nog twee, als je wilt.'
Mark stak zijn hand in de doos en pakte er voorzichtig een cavia uit. Hij duwde zijn duim zachtjes in het harige buikje. Het viel hem weer op hoe prachtig het diertje was nagemaakt. Absoluut niet van echt te onderscheiden. Laat staan dat je het vanuit de zaal zou kunnen zien.
'Dit nest heeft het zo ongeveer gehad, Peter. Ik haal even een nieuwe doos.'
'Als ik jou niet had.'
'Dan had je wel een ander.'

Meg was na de nasi direct naar boven gegaan. Toch een beetje onrustig.
Ze had geen, maar tegelijk wel zin om even, heel even te kijken of BeauX er was. Ze stond niet te trappelen. Maar ze had er aan de andere kant ook geen bezwaar tegen als ze hem vanavond toevallig zou tegenkomen.
Beetje onrustig.
Dus startte ze de pc op en logde in met nickname Troetel. Dat was haar veiligste. Als Wuftie kreeg ze altijd van alles op haar dak en moest ze de moeilijkste en meest afgelegen kant van zichzelf opdiepen. Daar moest je hoofd naar staan. En ze was een beetje moe.
Troetel zat dichterbij.

Met Troetel kon ze stomme vragen lachend afdoen. Als Troetel kon ze toekijken en overal een grap van maken. Troetel hoefde niks.
Als ze BeauX zag, kon ze altijd nog zien. Misschien een praatje met hem maken, als Troetel. Zou wel komisch zijn. Of, en ze moest toegeven dat het haar onrustig maakte, later toch als Sister binnenkomen.
Want hij wilde haar overtuigen.
Hij wilde haar zien.
Dat hoefde van haar niet, maar de gedachte was op zijn minst een beetje spannend.
<troetel> komt de chatroom binnen
Even rondkijken, ze hoefde niks.
<flauwekul> *ha die troet! Lang nie gezien!*
<warmhandje> *trut zal je bedoele*
<hennie> *ken je niet wat aardiger weze tege zo'n meissie*
<flauwekul> *en wie ben jij? Hen nie of wel?*
Het was weer een boeiende discussie.
<BeauX> komt de chatroom binnen
Shit! Nou al?
Wat nu?
Meg voelde dat ze een beetje bloosde. Stom! Waar sloeg dit op!
Ze kon het niet laten. Haar vingers gingen gewoon hun gang.
<troetel> verlaat de chatroom
<sister> komt de chatroom binnen
<warmhandje> *dag sister, zoek je een broertje?*
<flauwekul> *of een zussie?*
<BeauX> *da(((((sis)))))*
<flauwekul> *gaan we een beetje soften? Beetje van knufknuf?*
<warmhandje> *en beaux? Verliefd of zo?*
<BeauX> *gaat je geen zak aan, klefhandje*
<sister> *dag BeauX*
<Beaux> *knuffelen we niet meer?*
Waarom ook niet.

<sister> *dag ((BeauX))*
<BeauX> *zulle we, sis?*
<sister> *goed*
Meg was blij dat híj het vroeg.
<BeauX> *zo. Wat een kletskoppen aan de overkant zeg*
<sister> *oef. Foute box, eigenlijk*
<BeauX> *nee hoor. Wij zitten er toch?*
<sister> *das waar*
<BeauX> *kwil je graag ontmoeten*
<sister> *dat zei je ja*
<BeauX> *maar dat wordt niks*
Nee, dat had Meg hem ook al gezegd. Daar waren ze het dus over eens.
Maar waarom voelde het dan rot dat hij het zei?
Omdat híj het zei.
Iemand afwijzen doe je liever zelf.
<sister> *gisteren zei je nog dat je wat zou bedenken*
<BeauX> *kheb me suf zitten denken. Verder dan wat stomme dingen kwam ik niet. Nee, dat wordt niks. Komt ook omdat je zo voorzichtig bent. Terecht trouwens*
<sister> *ja*
<BeauX> *ja*
<sister> *wat voor stomme dingen had je dan bedacht?*
Kon natuurlijk geen kwaad om die stomme dingen te horen. Misschien kon ze er nog wat van leren.
Welnee. Ze was gewoon nieuwsgierig.
<BeauX> *laat maar. Heeft toch geen zin*
En nu moest ze het weten.
<sister> *nee, het heeft geen zin. Maar zeg het toch maar*
<BeauX> *och, kzou een foto kunnen sturen*
<sister> *van jou*
Wel spannend, natuurlijk. Meg voelde iets van haar voeten via haar knieën naar haar dijen gaan.
<BeauX> *van mij, ja. Niet van mijn moeder*

<sister> *kun je altijd doen. Maar hoe weet ik dat jij het bent? Misschien stuur je wel een foto van je broer. Of van een vriend*
<BeauX> *precies. Dat weet je niet. Alleen ik weet het. Maar ik kan niks bewijzen. Daar zitten we dan*
Hij zei het zelf al. Op een foto kon je niet afgaan. Maar het leek Meg toch wel heel erg leuk om die foto eens te zien.
<sister> *wat voor stomme dingen had je nog meer?*
<BeauX> *ach, laat maar. Gewoon, stomme dingen. Het wordt toch niks met die afspraak. Laten we gewoon gezellig kletsen (((kleine donkere met je bruine ogen)))*
Dat was wel leuk. Veilig, want hij gaf het op. En lief, ook wel.
<sister> *zeg het toch maar (((BeauX)))*
Moest kunnen, die knuffels.
<BeauX> *als je me zo aait, word ik nog verliefd. Hou op. Ik kan er toch niks mee*
Oef. Wat was chatten soms mooi. Met wat haakjes en tikjes iemand in het niemandsland verliefd maken. Het zat nog steeds ergens in haar dijen te kriebelen. Niet onprettig. Helemaal niet onprettig.
<sister> *welke andere stomme dingen?*
<BeauX> *ach, dat werkt toch niet. Zeker niet bij jou*
Als hij zo doorging, kon ze niet slapen.
<sister> *bij anderen wel dan?*
<BeauX> *misschien wel. Maar jij bent ouder. Zo doe je tenminste*
<sister> *ik zeg niet dat je er wat mee opschiet, maar zeg het toch maar*
<BeauX> *okee. Omdat je zo doorzaagt. Ik kan bv midden op een pleintje gaan staan*
<sister> *ja, dat schiet lekker op*
<BeauX> *ga je me een beetje zitten afzeiken? Je vroeg het toch?*
<sister> *sorry. Ga door*
<BeauX> *en dan kan jij vanachter een bosje of een muurtje*
<sister> *kijken of jij het bent?*
<BeauX> *zoiets ja*
<sister> *dus dan zie ik je daar staan en ik herken je van de foto en dan zijn we klaar?*

<BeauX> *eh... je vindt het stom*
<sister> *stel, je stuurt een foto van je neef en je neef staat daar. Dan denk ik dus dat jij het bent*
<BeauX> *dan heb ik mijn neef gespeeld. Zou je dat erg vinden?*
<sister> *dat klopt niet. Dan bén je je neef*
<BeauX> *goed, dan ben ik de neef van BeauX. Maakt dat wat uit? BeauX bestaat helemaal niet, dat weet je ook wel. Ik besta wel. Net als jij*
Dat was ook waar. Meg dacht zich helemaal suf. Ze wilde BeauX best ontmoeten, al was hij zijn neef. Maar ze was niet gek.
Wat zou ze nooit doen?
Telefoonnummer geven. Adres geven. Zomaar met iemand afspreken. Was dit zomaar? Zat hier een vette adder onder het gras?
Nog een keer: stel, ze had zijn foto. Op de foto stond een leuke jongen. Die foto kon van iemand anders zijn. Maar stel dat ze vanaf een verdekt plekje de jongen die op het pleintje stond, kon bekijken en hij was degene van de foto.
Dan zou je zeggen dat het klopte. Dat het BeauX was, of desnoods zijn neef, maar in ieder geval de jongen met wie ze had afgesproken. En als het een onbekende was, dan kon ze ervandoor gaan.
Meg kon er geen speld tussen krijgen.
Ze kon zelfs ter plekke nog besluiten dat ze er niet mee wilde doorgaan. Er zou geen haan naar kraaien. Einde van de fantasie.
<BeauX> *ben je er nog?*
<sister> *ja. Moet ff nadenken*
Maar wilde ze eigenlijk wel?
Het was toch juist zo leuk om een relatie via je toetsenbord op te bouwen? Je fantasie te enteren en te deleten? De gein was toch om de ander in te kunnen vullen zoals je dat wilde? En om de ander precies dat te geven wat je kwijt wilde? Niks te moeten, alles te mogen? Een lekkere illusie te knutselen, kortom?
Ja. Klopte allemaal.
In het echt zou de ander je tegenspreken. Niks delete of back-

space als je er genoeg van had. Hij kon een pukkel hebben die je achter het scherm nooit bedacht had. Of hij had de verkeerde kleren aan. Een zeikerige stem. Lelijke handen. Kon allemaal. En, wat erger was, je zou hem tegen kunnen vallen. Hij zou kunnen denken 'ik vind je niks'. Ze zou niet kunnen wegkruipen achter het gelach van Troetel en ze was ook niet zo mooi als Wuftie. En zelfs Sister zou haar niet kunnen helpen. Kaal en uitgekleed zou ze zijn. Meg, niks meer en niks minder.
Het kon eigenlijk alleen maar tegenvallen.
<BeauX> *alles goed (((((sis)))))*
<sister> *ja. Hou je kop even*
Dus ze moest er maar niet aan beginnen. Los van het gedoe met de foto en de schuilplaats in de bosjes. Ze moest er maar niet aan beginnen.
Zeiden haar hersens. En die waren meestal de baas.
Wat een gezeur, wat een gelul, zei haar gevoel, dat zich inmiddels vanuit haar dijen had uitgestrekt naar haar buik, schouders, armen en hals. Zelfs haar wangen en voorhoofd deden mee.
Dan kun je nog zo zitten te denken, dat verlies je.
<sister> *stuur die foto maar*
<BeauX> *bedoel je...*
<sister> *ik wil die foto wel eens zien*
Kon geen kwaad.
<BeauX> *goed. Wat is je e-mail adres?*
Ho! Belletje!
Kon ze haar e-mailadres geven? Kon dat kwaad?
Nee. Hij kon daar geen huisadres van bakken. Bovendien: als hij mailde, legde hij zijn identiteit vast. Veilig idee.
Dus gaf ze haar e-mailadres.
<BeauX> *kben ff weg. Tot zo*
Vijf minuten later verscheen er een foto op haar scherm.
Een jongen die op een muurtje zat. Spijkerbroek, blauw T-shirt. Kort donker krullend haar. Hij lachte een beetje. Niet verlegen, eerder brutaal. Leuk brutaal, van 'kom maar op'. Zijn rechter-

hand lag op zijn knie. Het kon zijn dat het beeld vertekende, maar de hand leek nogal groot.
Leuke jongen.
Dus dat was BeauX.
Of zijn neef, natuurlijk.
<BeauX> *heb jem?*
<sister> *ja*
<BeauX> *zulle we? Pleintje, enz, en dan wat leuks doen?*
Meg luisterde nog even maar hoorde geen belletjes. Het zat goed. Haar hersens, haar schouders, haar dijen en haar buik waren het eens geworden.
<sister> *waar?*
<BeauX> *waar woon je?*
<sister> *ja dag! Zeg ik niet*
<BeauX> *Tuurlijk niet, stomme vraag. Noem dan een stad in de buurt*
Meg deed het.
<BeauX> *hoest mogelijk. Woon ik vlakbij. Ken je het Zuiderpark?*
<sister> *ja*
Dat was niet een echt park. Een kleine buurt met villa's in een paar straten met veel hoge bomen en struikgewas. En een pleintje in het midden. Er kwamen wat smalle straten op uit. Een mooie plek voor een date. Wat belangrijker was: alle mogelijkheden om je verdekt op te stellen.
<BeauX> *wat vind je? Durf je het aan?*
Meg dacht van wel. Ze kon niet bedenken waarom niet.
<sister> *ja. En jij? Straks sta je daar een halfuur voor lul op dat pleintje*
<BeauX> *als je me niet ziet zitten, bedoel je. Dat risico neem ik. Maar als je me op de foto leuk vindt, dan ook in het echt. Zeker wete*
<sister> *praatjes heb je*
<BeauX> *ja. Vrijdag 9 uur?*
Sister vond het goed en Meg dus ook. Troetel en Wuftie had ze maar niet geraadpleegd. Die hadden waarschijnlijk niet tot vrijdag willen wachten.
<sister> *zie je dan*

<BeauX> *da(((((sis)))))*
<sister> *dag ((BeauX))*
Twee haakjes leken haar wel even voldoende. Had ze tenminste wat over als het nog leuker zou worden.

Vierentwintig kilometer naar het zuiden. Een straat in een sjofele buitenwijk. Tien kleine woningen. Vroeger woonden er bejaarden in, nu werden ze verhuurd aan allerlei kleurrijke types. Er zat een vriendelijke junk tussen die altijd het gras maaide voor zijn buurvrouw. Die vrouw waste zijn broeken, las verder de hele dag kinderboeken en ging pas naar bed als ze twee flessen wijn op had. Meneer van Wonderen woonde er, die zijn vrouw had verloren en nu zo'n pijn in zijn rug had dat hij alleen kruipend van de bank naar zijn bed en terug kon. En Tinie natuurlijk, veertig jaar en veel te blond, die op haar 06-nummer Evita heette en heel mooi zwoel kon praten en 's avonds veel vrienden ontving. Ahmed woonde er ook, ergens in het midden. Hij was gebroken omdat hij in de fabriek dertig jaar lang elke dag ijzeren schijven, stangen en kettingen omhoog had moeten duwen, en omdat zijn enige dochter gezegd had dat ze hem niet meer wilde zien.
Er was een huisje waar een student woonde, maar nooit lang dezelfde. Op het moment dat de omwonenden de student gingen herkennen, kwam er weer een nieuwe. Soms met prachtige piercings en een andere keer was het er een met plakhaar en een stropdas.
Van alle huisjes waren de gordijnen overdag open. Van bijna alle huisjes.
Alleen de laatste woning, links als je er met je rug naartoe stond, hield zich niet aan die nooit afgesproken afspraak.
De hele dag de gordijnen dicht.
Tinie vroeg zich al weken af wat daar nou toch gebeurde. Niet dat ze nieuwsgierig was, maar toch. Ook Ahmed had wel eens vriendelijk naar binnen willen knikken, maar dat zat er dus niet in.

En de student had het niet eens in de gaten, want die kwam pas 's nachts thuis.
Aan de overkant stonden een paar noodlijdende bomen en een flat die er al jaren geen zin meer in had. De portiek zat vol graffiti maar zelfs die zagen er aftands uit. Als je hier woonde en je was vrolijk, dan had je dat helemaal aan jezelf te danken.
Er brandde licht in het laatste huisje, het ontsnapte hier en daar langs het gordijn. Flikkerend wit licht van een beeldscherm.
Het kon best zijn dat de buren verdrietig waren over hun ongehoorzame dochters, over het winnende lot uit de loterij dat was zoekgeraakt, over de condooms in de voortuin, over de prijsverhoging van wijn, over ouders die er niets van begrepen, over vrienden of vriendinnen die gisteren nog zeiden 'ik hou van je' en nu 'rot op' riepen, over kakkerlakken die je 's avonds had verwijderd maar 's morgens weer terugvond aan het voeteneind onder je dekens.
Het kon hem allemaal werkelijk voor geen meter schelen.
De man met de grote handen trilde een beetje. Wat geluk was wist hij niet, maar wat hij nu voelde, zou erop kunnen lijken.

6

Bij het ontbijt op maandagochtend stond er altijd een kan versgeperst sinaasappelsap op tafel. En de broodrooster natuurlijk, en ham – prossioeto of zo noemde Megs moeder dat altijd –, kaas, het halve potje honing dat al twee jaar een half potje was, hagelslag, rozenbotteljam, chocoladepasta die een beetje wit was uitgeslagen, muisjes, thee en koffie.
Net zoals de andere dagen van de week.
'Ziet er weer heerlijk uit, Karin. Is er ook pindakaas?'
'Ja, in de winkel om de hoek! Maar die is nog niet open.'
'Oei, sorry hoor. Is er iets?'
'Nee. Behalve dat ik hier een super-de-luxe ontbijt voor je op tafel zet met alles erop en eraan en dat jij dan nog om pindakaas durft te vragen.'
'Dat waardeer ik zeer, lieve schat. Maar laten we wel wezen: er stáát toch geen pindakaas op tafel? Dan mag ik daar toch wel voorzichtig om vragen?'
'Begrijp je het echt niet? Ik sloof me uit en jij begint over pindakaas te... te... eike... zeik... sode... zeuren.'
'Ik vraag toch niet om kalkoen of ganzenlever of geflambeerde flensjes? Wat is er zo bijzonder aan pindakaas? Het enige wat ik vroeg was "Is er ook pindakaas". Voor hetzelfde geld was er wel pindakaas geweest.'
'De vorige pot pindakaas heeft drie jaar in de kast gestaan. Die heb ik weg kunnen gooien.'
'Die was met stukjes. Je weet dat ik dat niet lekker vind, pindakaas met stukjes.'
'Toen dacht ik: voorlopig maar even geen pindakaas. Een week later vraagt meneer om pindakaas. Doe je dat expres of zo?

Waarom zit je me zo te jennen? Je vraagt nooit om pindakaas.'
'Nou moet je ophouden, Karin. We gaan toch geen ruziemaken om pindakaas? Ben je... moet je misschien...'
'Nu wordt hij helemaal mooi! Nee, ik ben niet ongesteld!'
'Ik kijk wel even in de kast, papa. Misschien staat er achterin nog ergens een potje.'
'Nee, laat maar. Ik heb helemaal geen zin meer in pindakaas. Ik neem wel rookvlees.'
'Er is geen rookvlees! Daar zat gisteren schimmel op! Jij eet nooit rookvlees! Rookvlees blijft tussen je kiezen zitten, zeg jij altijd!' Megs moeder zuchtte diep. En nog een keer.
'Sorry, Karin, dat ik zo zat te zeuren. Sorry. Je hebt een prachtige ontbijttafel verzorgd, zoals altijd. Compliment. Ik had alleen zo'n zin in pindakaas, dat is alles.'
'Je hebt je truc nog niet gedaan, papa.' Er moest even wat gebeuren, vond Meg. Dit ging niet goed.
'Goed dat je het zegt. Zou ik bijna vergeten, zeg.' Peter Bloemhard liep naar het aanrecht, pakte een wijnglas en schonk er een beetje melk in. Daarna haalde hij een fles azijn uit het keukenkastje.
'Even kijken. Twee scheutjes, geloof ik. Of waren het er drie?' Hij deed er drie bij de melk. 'Een theelepel zout, pompompom, mespuntje cayennepeper, tomtieriedom. Zo.' Hij dekte het glas af met folie, wikkelde het in keukenpapier en begon te schudden.
'Tatata, je gelooft je ogen niet. Tatata! En de melk is verdwenen! Het is nu helder water! Tatata!' Megs vader verwijderde het keukenpapier. 'Dan waren het toch twee scheutjes. Of slaolie in plaats van azijn. Nou ja, het kan niet altijd goed gaan.'
Meg stond op en gaf haar moeder een zoen. 'Dag mama, ik moet weg. Zal ik straks op de terugweg een potje... Grapje!'
Karin Bloemhard kon erom glimlachen, zoals alleen zij dat kon.
'Dag papa. Ouwe zeikneus!'
'Dag lieverd. Wat verzin je toch lieve koosnaampjes.' Megs vader

spoelde zijn goochelattributen af en liep naar zijn vrouw. Hij ging achter haar staan en sloeg zijn armen om haar heen. Hij zoende haar op haar linkerwang. 'Oh Karin,' fluisterde hij. 'Ik heb zo'n behoefte... zo'n onweerstaanbare drang... Ik... ik... ik wil... ik heb zo'n zin...'
Karin Bloemhard duwde haar wang tegen zijn lippen. Ze deed haar ogen dicht.
'In pindakaas! Nee hoor, geintje.'
Gelukkig was de thee flink afgekoeld, anders had er zeker een bezoek aan het ziekenhuis ingezeten.

Meg moest nog flink doortrappen om op tijd te zijn. Niet dat ze erg verlangde naar het eerste uur. Nederlands. Dat vond ze een leuk vak, maar ze had iets tegen de man die het gaf.
Van Groningen. Drs. Jouko van Groningen. Leraar Nederlands met een Fries accent.
Dat gaf niet, maar de man spoorde gewoon niet. Hij was aardig tegen de verkeerde mensen, vond ze. En lullig tegen de goede, of dus de verkeerde, nou ja. Hij vond leuke boeken slecht en saaie goed. Om grappen lachte hij niet, wel om slechte opstellen. En zijn scheiding zat ook aan de verkeerde kant, maar als hij aan de andere kant had gezeten, had ze dat ook gevonden.
Ze moest over een paar weken een spreekbeurt houden. Over de liefde. Nee, over DE LIEFDE. Ze had al een idee. Dat wil zeggen, ze had al een titel. LIEFDUH! De rest moest ze nog bedenken.
En nou ging hij een uur doorzagen over het gebruik van het lidwoord in de zeventiende eeuw. Ze had wel wat anders aan haar hoofd.
Vrijdagavond, bijvoorbeeld. Het Zuiderpark. De jongen met het blauwe T-shirt en zijn krulletjes.
Waar zou ze gaan staan? Het advocatenkantoor aan de oostkant had een ongeorganiseerde tuin met veel bosjes en er stond geen hek omheen. Ze moest er nog maar eens gaan kijken.
Voorpret.

Meg trapte door. Haar achterwiel deed tjak zzz tjak zzz. Er zat een enorme slinger in.
Rechts zag ze de toren van de Mariakerk. Daarachter lag het Zuiderpark.
Dat wist nog van niks.

De week kroop voorbij.
Meg had niet meer als Sister gechat. Het was klaar, er moest nu niet meer aan worden getimmerd. Stel dat ze ging twijfelen, dat zou alles verstoren. Ze wilde het zoals het nu was. Het beeld was leuk, spannend, veilig. Je moest een mooi beeld niet de kans geven te verkleuren of af te bladderen. Dat zou zonde zijn.
Dus er vooral niet aan tornen.
Wel was ze twee keer als Wuftie in de chatroom op stap geweest. Even zelfvertrouwen kweken. Zoals gewoonlijk had ze onmiddellijk aanspraak en waren de verdachte voorstellen niet van het scherm te slaan. Luchtig en met een goed gevoel wees ze alles af.
BeauX had zich niet meer vertoond.
Gelukkig niet. Kennelijk had ook hij geen behoefte om van alles nog eens aan te kaarten. Dat pleitte voor hem, al kon ze niet uitleggen waarom.
Met haar spreekbeurt was ze flink opgeschoten. Meg wist nu hoe ze het zou gaan doen. LIEFDUH! moest worden gerapt, dat stond als een paal boven water. Geen twijfel mogelijk. Ze had al twee zinnen.
'Liefduh liefduh hamerharde zomerzachte boterbloemen
Liefduh liefduh toverkleurig okselgeurig ochtendtreurig
Liefduh liefduh'
Ze had geen idee wat het betekende. Maar het liep lekker. De rest kwam nog wel.
Met de pindakaas was het allemaal goed gekomen.
Papa had dinsdag drie gele rozen meegenomen, haar moeder een zoen gegeven en gezegd dat hij van de pindakaas af was.

En mama haalde op hetzelfde moment een zak tevoorschijn waaruit ze drie familiepotten pindakaas haalde.
Het was 's avonds nog lang lawaaiig in huis.
Een trage, maar niet onprettige week.
Woensdag: beetje onrust in de schouders.
Donderdag: de onrust breidde zich uit.
Vrijdag: het nestelde zich in de buikstreek. Bovendien werd het hoofd onrustig.
En nu fietste ze langs de Helperzoom. Een rustige laan met vriendelijk groen aan de ene en vriendelijke huizen aan de andere kant. Zacht windje mee, twee wolken en een lage zon, haar dunne fleece was eigenlijk al te warm.
Straks het spoor over, linksaf, de Oosterweg volgen en dan was ze er al zowat. En het was pas kwart voor negen. Ze was veel te vroeg. Stond ze zo dadelijk tien minuten in de bosjes naar sterren, takjes, besjes en andere totaal onbelangrijke dingen te kijken.
Meg wist precies waar ze moest zijn.
De tuin van het advocatenkantoor was bij nader inzien niet geschikt. Je kon het pleintje niet goed zien als je achter het voorste bosje ging staan. Ze had dinsdag een veel betere plek ontdekt.
Het studentenhuis op nummer acht. Perfect.
Een tuin met een laag hekje, rododendrons en hoge coniferen, twee rijen dik. Je kon daar een week kamperen zonder dat iemand het in de gaten had. En met een uitstekend zicht op het pleintje. Je kon kijken zonder gezien te worden. Je kon weg als je wilde.
Mooi plekje. Veilig. Perfect.
Meg fietste in een rustig tempo door de Oosterweg, stak haar hand op toen iemand een vrolijk fluitje op haar losliet, sloeg linksaf de Zuiderparkbuurt in en zette haar fiets tegen een kastanjeboom. Nog honderd meter. Pleintje over en langs de witte villa. De tuin met de coniferen.
Het was hier doodstil.
De prachtige huizen in dit buurtje werden niet meer bewoond.

Overdag werkten er advocaten, notarissen, makelaars en verzekeraars. Maar die waren op vrijdagmiddag om vijf uur vertrokken. Er moest gegolfd, geborreld, gegeten of vreemdgegaan worden. Het was immers weekend!
Alleen in het studentenhuis brandde licht. Op de eerste etage en bij de voordeur. Verder leek alles in diepe rust. Ook studenten golfen, borrelen, eten en gaan vreemd.
Meg keek om zich heen – je wist maar nooit of hij ook veel te vroeg was – stapte over het hekje en zat direct onder de spinnenwebben. Het was allemaal wat voller en dichter en donkerder dan ze had gedacht. Maar wat gaf het. Ze streek met haar mouw over haar voorhoofd en liep om een hoge rododendron heen. Toen zat ze tussen de eerste rij coniferen. Die stonden ver uit elkaar. In drie stappen was ze bij de tweede rij.
Mos onder haar voeten en lage takken.
Opeens rook ze coniferen, wat kon kloppen.
Dichte takken.
Ze stond nu op de plek die ze had uitgekozen. Aan drie kanten was ze beschermd, gedekt, onzichtbaar. Links, rechts en naar voren.
Tussen de takken door had ze een goed uitzicht op het pleintje. Het zag er wat eenzaam en verdrietig uit.
Maar pleintjes weten niet wat er nog komt.
Om zeven voor negen had Meg haar plekje gevonden.
Om vijf voor negen reed een auto het plein op en stopte voor de witte villa. Er stapte een jonge man uit. Hij was blond en had een grijs pak aan. Even keek hij om zich heen, toen wandelde hij naar het studentenhuis. Hij verdween achterom.
Om drie voor negen kwam er van de andere kant een fietser. Een jongen met een basketballpet. Meg hoorde hoe hij een liedje floot. Hij slingerde een beetje. Vanwege zijn pet kon ze zijn gezicht niet goed zien. Het zou hem kunnen zijn, hij had krulletjes in zijn nek. Jammer van die pet, schoot er door haar heen. Ze had niet zoveel met basketballpetjongens.

De jongen bonkte de stoep op en reed het tuinpad van het studentenhuis in. Ook hij moest kennelijk bij de achterdeur zijn.
Om twee minuten voor negen zag Meg hoe op het dak aan de overkant een mus gegrepen werd door een kleine roofvogel. Die vloog in één beweging door, met het spartelende diertje in zijn klauwen.
Meg schrok ervan. Maar ze schrok nog veel meer van het tikje op haar schouder.
'Hoi.'
Meg schoot overeind en keek achterom. En ze verstijfde. Verlamd was ze. Dit kon niet. Dit was bizar, onmogelijk, afgrijselijk. Het was niet waar.
Het was wel waar. Hij keek haar lachend aan. Het was BeauX. Het moest BeauX zijn, ze herkende hem van de foto. Geen twijfel mogelijk. Maar het was hem ook niet.
Hij had rimpels. En krullen. Grijze krullen.
Hij lachte, maar niet zoals op de foto. Niet leuk brutaal, nee. Alleen zijn mond lachte. Een beetje scheef. Zijn ogen deden iets anders. Die waren agressief, ze vielen aan.
Het was BeauX, maar vijfentwintig jaar later.
'Hoi,' zei hij weer.
Het duurde nog twintig seconden voor Meg weer een beetje normaal kon ademen.
'Ik ben het,' zei hij.
Meg stond tegen een conifeer aangedrukt. Ze kon niet verder achteruit.
'Fijn om je te zien. Je bent nog mooier dan ik dacht,' zei hij.
Die ogen! Die afschuwelijke ogen!
'Mooi plekje heb je uitgezocht. Lekker verdekt plekje.'
Heel, heel langzaam kwam Meg terug. Ze voelde haar voeten. De paniek werd angst. De verlamming ging over in trillen. En haar mond deed het weer. Althans, die zei wat. Ze hoorde niet eens wat. 'U... je... het klopt niet... het is...'
'Het klopt wel, hoor. Ik ben het. Beau.'

Meg hijgde en keek om zich heen. Takken links en rechts.
Hij deed een stap naar voren. 'Het lijkt wel of je geschrokken bent. Alleen omdat ik je hier ontmoet en niet op het pleintje? Daar hoef je toch niet zo van te schrikken?'
Meg pakte een tak en kneep erin. Op de een of andere manier hielp het om iets vast te hebben.
'U... je... je hebt gelogen.'
'Och, gelogen, gelogen. Eigenlijk niet. Alles klopt. Het enige is, tja, ik had alleen een oude foto van mezelf. Als je dat een leugentje wilt noemen, vooruit. Een kleintje, voor je bestwil. Voor mijn bestwil. Anders was je toch niet gekomen? Zeg nou zelf.'
Meg trok de tak naar zich toe. Dat lukte niet zo best.
'Nee, natuurlijk was ik dan niet gekomen.' Ze kon weer een beetje normaal praten, merkte ze. Verder was ze nog verre van normaal. 'U heeft me eringeluisd. Je hebt vals gespeeld. U heeft gedaan alsof u...'
Hij stak een hand uit. Een onwaarschijnlijk grote hand.
'Wat lul je nou eigenlijk, Sissie? Heet jij soms Sister? Nee, toch? Jij speelt toch ook een spelletje? Dat is toch wat je wilde? Een spannend spelletje spelen? Daarom viel je toch op mij? Daarom ben je toch hier? Doe niet zo achterlijk. Jij bent niet jij en dat wist ik van tevoren. En ik ben niet ik en dat wist jij ook heel goed.'
Het knalde door haar hoofd. Natuurlijk wist ze dat vanaf het begin.
Ja, ze deed ook alsof. Ja, ze fantaseerde de ander. Maar wat deed ze dan hier? Waarom zat ze niet veilig achter haar pc?
Flarden, nadenken kon ze niet.
'En nu, Sister? Wat doen we nu? We hebben toch niet voor niks wat afgesproken? Je had toch ergens zin in? Nou, ik ook.'
'Ga weg, alsjeblieft.'
'Luister, Sissie. Ik ben Beau, alleen een beetje ouder. Jij bent Sissie, alleen een beetje jonger. Staan we quitte, of niet? We hebben allebei een beetje gejokt. Voor de rest kloppen we.'
Weer stak hij zijn hand uit. Met zijn wijsvinger ging hij langs

haar wang. Meg draaide haar hoofd weg maar kon geen kant op.
'Ik weet best wat je met Beau wilde. Nou, Beau wil ook wel.'
'Ga weg! Ophouden! Ga weg!' Meg keek over haar schouder. Het pleintje was verlaten. Geen fietsers, geen auto, geen student.
'Lieve Sissie, waarom doe je zo afwerend?' Weer die enorme hand. 'Je hebt me een paar keer geknuffeld in de chat,' zei de man. 'Kom, doe het! Drie haakjes zijn drie knuffels! Ik wil drie haakjes!' De man legde zijn hand om Megs nek en trok haar naar zich toe.
Hij grijnsde. Alleen met zijn mond.
Meg had geen schijn van kans. Ze voelde een weke wang. Zijn vette haar in haar hals. Hij stonk.
'Ho ho! Afspraak is afspraak, Sister! We gaan nou niet moeilijk doen, hoor!'
Meg duwde en draaide en worstelde.
'Best even wennen, dat begrijp ik best, Sissie. Maar eerlijk is eerlijk.'
Weer die lach. Die enorme handen.
Meg zat vast. En omdat ze niks meer kon, werd ze rustig. IJzig rustig. Ze liet het gebeuren tot ze de kans kreeg.
Haar been kreeg ruimte. Haar knie. En die ramde ze met alles wat ze nog had omhoog.
Vol in zijn kruis.

7

Even onder en dan naar links kijken.
Onder de arm door.
Even onder en dan naar links kijken.
Onder de arm door.
Witte tegels, eindeloos veel witte tegels.
Even onder en dan naar links kijken.
Vijfentwintig keer en dan weer terug.
Even onder en dan naar links kijken.
Onder de arm door.
Nu waren er grote beslagen ramen aan de linkerkant.
Even onder en naar links kijken.
Onder de arm door.
Vijfentwintig keer en weer terug.
En dat tien keer. Tien keer heen en weer.
Ogen dicht, ogen open, ogen dicht, een paar honderd maal.
Water overal.
Water over haar hoofd, rug en benen. Hoe harder ze zwom, hoe harder het stroomde.
Die stroom was lekker. Stroom wil alles meenemen. Je haren, maar die zitten vast. En verder alles wat een beetje loszit.
Pluisjes. Snot. Vuiltjes.
Viezigheid.
Meg zwom zo hard ze kon.

De douche was een beetje te heet, maar dat gaf niet. Dan voelde je hem tenminste.
Meg had geen enkele haast.
Elke keer als ze zich realiseerde dat er nog een leven na de douche

was, stak ze haar hoofd onder de straal. Dan ging het wel weer over.
Er kwam een vrouw in een korte broek op haar af. Ze had gewone benen maar onwaarschijnlijk dikke kuiten, zag Meg. Zulke had ze nog nooit gezien. Er begon iets te lachen in haar wangen. De vrouw had geblondeerd haar in krulletjes onder een petje met 'Zwembad Tropic Beach'. Op haar witte T-shirt stond 'Laten We Samen Bewegen'. Meg moest er niet aan denken. Ze stak onmiddellijk haar hoofd onder de straal.
'Wat zijn we aan het doen?' vroeg de vrouw.
Meg wilde er niet onderuit, maar ze moest wel. 'Even douchen.'
'Even, even? Je staat er al een kwartier onder. Hebben we thuis geen douche?'
Mens, alsjeblieft, ga weg. Ik ben bezig. Ik ben nog lang niet klaar. Het ging net goed.
'Nou?'
'Ja, we hebben thuis ook een douche.'
'En waarom staan we hier dan een uur te douchen?'
'Een kwartier.'
'Nog een beetje brutaal ook. En wat zijn we verder van plan?'
Meg voelde dat ze een beetje balorig werd. Kon van die kuiten komen. 'Ik weet niet wat uw plannen zijn, maar ik dacht: kom, ik sta hier wel lekker, eigenlijk.'
De vrouw stak een hand in haar kontzak en haalde er een fluitje uit. Ze had een krachtige blaas, ze snerpte moeiteloos het hele zwembad door. Alle moeders, hun kindertjes, de pubers en de bejaarden in het bad keken verschrikt op. Tegelijkertijd wapperde de vrouw met haar handen.
'En nu is het genoeg! Denk je dat het niks kost, dat warme water?'
'Hij stond toch aan. Wordt het goedkoper als er niemand onder staat?' Wat klets ik nou, dacht Meg. Mijn kop staat hier niet naar. En toch zat er een slappe lach aan te komen.
Dat kon niet.
Dat kon ze niet aan zichzelf verkopen. Alsof ze er ongeloof-

waardig van werd. Het paste gewoon niet bij haar andere gevoel. Maar de slappe lach trok zich daar absoluut niets van aan. Die was nauwelijks te houden. Meg had een hand nodig om hem te verbergen.
'Meisjerrrl! Meisjerrrl!' riep de vrouw. Ze had het fluitje weer tussen haar lippen. Ze stampte met een been op de grond.
Meg keek naar beneden en kon haar ogen niet van de kuit af houden. De enorme knol schoot heen en weer tussen enkel en knieholte, alsof hij loszat en eruit wilde.
'Ja mevrouw?'
'Als je nu niet stopt, ga ik naar de directeur!'
Meg hikte even en had nu twee handen nodig. Ze kon het niet laten. Het flapte haar mond uit. 'Naar mijn vader?'
Het fluitje viel op de grond. De vrouw met de blonde krullen keek Meg even aan, draaide zich langzaam om en slofte weg. Het leek of haar kuiten bij haar enkels bleven hangen.

Meg hoefde vanmiddag niet te oefenen. Ze kon het al.
Haar vader had gezegd: als je zin hebt, ben je welkom, als je iets anders wilt, ook goed.
Dus was ze gaan zwemmen.
Ze hield helemaal niet van zwemmen. Ja, van klooien in het water, dat was wat anders.
Maar vandaag wilde ze zwemmen. In het zwembad. Hard zwemmen, rammen, moe worden, water voelen en douchen, lang douchen.
En nu was het drie uur. Zaterdagmiddag. Een week later.
Een week van slijtage, gezeur, beetje huilen omdat mama zat te huilen, een dag schoolziek en een dag spijbelen. Een week van woede op de man die zich BeauX noemde en van nog meer woede op Sister. En op Troetel en Wuftie, die de hele week wat lacherig deden. Geklets natuurlijk, maar ze was soms onontkoombaar met zijn vieren.
En een week van de politie.

Meg had met haar vader aangifte gedaan van aanranding. Dat had er behoorlijk ingehakt. De man achter het bureau wilde alles weten. Alles van die handen, die vingers en de rest. Dingen die je niet wilde vertellen, niet waar je vader bij was en zeker niet aan een onbekende ouwe vent. Maar ze had het gedaan en de ouwe vent was eigenlijk een heel aardige ouwe vent.
Ze had verteld dat het niet erg pijn meer deed en dat ze hooguit een paar blauwe plekken had. Over de worsteling nadat ze hem geschopt had. De vlucht door drie tuinen en hoe hij haar tot in de tweede tuin op de hielen zat. De vettige pluk haar die ze in haar hand terugvond.
En toen kwam er een jonge kerel die alles wilde weten over chatten en Sister en BeauX en nog veel meer. De man wist alles van internet.
Meg vertelde over de chatbox, hoe je moest inloggen, hoe vaak ze er kletste, hoe vaak ze contact met BeauX had gehad. En dat ze een foto had van BeauX. Zijn gemailde foto. Dat vond de jonge politieman erg interessant.
Er gingen een paar dagen overheen. Toen kwam hij langs.
Meg en haar vader zaten naast elkaar aan de keukentafel, de politieman aan de overkant.
'We hebben de foto vergeleken met de foto's in ons archief, maar dat heeft niets opgeleverd. Jij zou onze portrettengalerij ook nog eens kunnen doorkijken, maar ik denk dat het weinig zin heeft. Die klootzak is niet gek. Jammer maar helaas. Het is onwaarschijnlijk dat hij een foto opstuurt als hij weet dat hij bij ons geregistreerd staat.'
'Zijn e-mailadres,' zei Megs vader. 'Hij heeft gemaild. Dan kun je toch nagaan wat zijn adres is?'
'Normaal gesproken wel.'
'Hoezo normaal gesproken?' vroeg Meg.
'De afzender was een Engelse handelaar in waterbedden uit Amsterdam. Het bedrijf is al een jaar failliet en gesloten, maar er was nog wel een e-mailadres. Dat heeft die vent gebruikt.'

'Hoe kan dat? Heeft hij daar ingebroken?' vroeg Megs vader.
'In zekere zin wel. De man is blijkbaar een hacker, een inbreker op het internet. Hij heeft dus via het net ingebroken bij het bedrijf en zich toegang verschaft tot het e-mailadres. Zo kon hij mailen zonder dat hij op te sporen is. De truc is nogal ingewikkeld, maar we zien het wel vaker. Jammer maar helaas.'
'Maar hij moet toch op een of andere manier op te sporen zijn? Hij heeft toch elke keer contact moeten leggen met die chatbox? Zoiets wordt toch vastgelegd? En er is toch ook nog een provider of zoiets? Zo'n bedrijf dat de verbindingen maakt?' Megs vader was erbij gaan staan.
'Ja en nee. De provider legt dit soort internetverkeer niet vast, tenzij daar een reden voor is, of als het vooraf is afgesproken. En veel chatboxen laten tegenwoordig gebruikers pas toe als die zich kunnen identificeren. Bijvoorbeeld met een paspoortnummer, juist om deze ellende te bestrijden.'
'Veel chatboxen. Maar deze?'
'Deze niet. Jammer maar helaas.'
Megs vader zuchtte en ging weer zitten.
'En wat als hij weer aan het chatten is? Als hij bezig is? Kun je hem dan opsporen?' vroeg Meg.
'Goeie vraag. Het zou misschien kunnen, gesteld dat hij het niet via waterbedbedrijven of tuinboontelers doet. Maar dan moet je hem heterdaad hebben. Alleen, je weet nooit of hij het is, tenzij hij weer als BeauX op jacht gaat. Maar dat zou wel heel stom zijn. En stel dat hij zo stom is, dan zouden vier man permanent paraat moeten zijn om hem te betrappen. Die hebben we niet.'
'Ik word er een beetje moedeloos van,' zei Megs vader. 'Wat zijn er verder voor mogelijkheden om die rotzak te pakken?'
De jonge politieman zette zijn lege kopje op het schoteltje en begon er peinzend in te roeren. Hij tikte even met het lepeltje op de rand en roerde weer verder. 'Ik ben bang dat we weinig kunnen doen. Zolang er internet is en er door mensen wordt gechat, zijn er altijd figuren die misbruik van de mogelijkheden maken.

Net als in het echte leven. Veel meer dan waarschuwen vooraf, kunnen we niet.'
'Daar moeten we het mee doen?' Megs vader ging weer staan. Hij streek met zijn vingers over zijn kruin.
'Jammer maar helaas.'

Drie uur.
Meg fietste langs de Verlengde Hereweg. Het was eigenlijk geen fietsen, het was meer peddelen wat ze deed. Nog een kilometer, dan was ze thuis. Ze keek naar haar duim. De huid was hier en daar wat ribbelig, zag ze. Ze had afwasvingers, zo noemde haar moeder dat altijd.
Misschien moest ze wat vaker gaan zwemmen. Het hielp. Douchen ook. Lang douchen.
Het zou mooi zijn als er dan ook een badjuffrouw met extreme kuiten voorbij zou komen. Extreme oren, voeten, borsten of desnoods neusvleugels mochten ook. Het goede mens moest eens weten welke rol ze gespeeld had, dacht Meg. Een restje slappe lach trok van haar wang naar haar oor.
Het ging allemaal wel weer.
Vannacht had ze voor het eerst weer goed geslapen.
Gisteren voor het eerst weer lekker gegeten.
Eergisteren voor het eerst weer gelachen om haar vader. Hij had een gordijn over de poes gelegd en hem weggegoocheld. Alleen was het geheime gootje van karton ingezakt en kon de poes er niet onderuit. Sjimmie had er verder niets aan overgehouden.
Nog vijfhonderd meter. Meg fietste steeds langzamer. Op vierhonderd meter van haar huis stond ze stil. Wil ik wel naar huis? En dan? Thee met een kletskop. Ja, het was lekker in het zwembad. Nee, morgen ga ik aan mijn huiswerk. Oh, eten we chili. Ja, ik wil best helpen met de preitaart.
Nee! Gelul! Ik wil helemaal niet helpen met de preitaart!
Meg stak over en fietste de andere kant op. Veel harder dan zopas. Binnen drie minuten was ze weer bij het viaduct. Ze keek

naar haar duim. De ribbels waren weg. Ze sloeg rechtsaf en volgde het fietspad langs de gracht. Ze wilde schakelen naar de derde, maar die deed het niet. Al een jaar niet, trouwens.
Het was druk op het Boterdiep.
Auto's waren bezig met parkeren of reden net weg. Iedereen switchte van links naar rechts en langs mekaar en het ging allemaal net goed. Het Boterdiep was populair op zaterdagmiddag. Je kon er zwartparkeren als je snel even een paar onderbroeken in het warenhuis moest scoren. Of een cd of Surinaamse balletjes.
Halverwege zette Meg haar fiets tegen de gevel van het oude gebouw. Ze legde het slot om haar voorwiel en om het achterwiel van de fiets van haar vader.
Zo, die kon niet weg zonder haar toestemming.
De steeg door, linksom, de kleine achterdeur in. Dan de donkere gang volgen tot het halletje. De eerste deur ging naar de wc, de tweede naar de hoofdkleedkamer. Ze ging naar binnen.
Havana zat voor de spiegel.
'Dag Havana,' zei Meg. 'Ben je je aan het schminken?'
'Nee, kind. Ik ben me aan het afschminken.'
'Oh. Ben je klaar?'
'Klaar? Kind, je weet niet wat je zegt. Ik ben nog niet halverwege. Ik ben, laat ik het zo zeggen, nog niet halverwege. Het spul moet eraf. Weg. Ik verdien het niet.'
'Hoezo, ik verdien het niet? Je bent de beste jongleur van allemaal!'
'Lief dat je het zegt, Meg, maar ik ben een mislukkeling. Een kruk. Een amateur.'
'Ik heb je gezien met messen, met hamers, met kaarsen, met flessen allesreiniger, met Franse kaas en met je hoed. Fantastisch! Je bent de beste, Havana.'
'Gezegend ben je, lieve kind, dat je er geen verstand van hebt. Maar het gaat niet om wat je kunt. Het gaat om wat je niet kunt. Wat je hebt, dat heb je. Dat is geen kunst. Maar wat je niet hebt, daar loop je altijd weer tegenaan. Snap je?'

Meg had een vol hoofd, dit kon er niet bij. 'Eh... eigenlijk niet.'
'Laat maar. Jij bent nog jong. Jij kijkt nog alleen naar wat je kunt. Het is zaak om jong te blijven, denk ik. Goed dat je het zegt. Ik zal er eens over nadenken. Vermoedelijk is het zaak om jong te blijven. Ik zal er eens over nadenken.'
'Havana?'
'Wat is er, meisje?' Havana was bezig met een doekje een donkerbruine vlek van zijn slaap te poetsen. Dat schoot niet op, want die vlek zat er al jaren.
'Misschien een rare vraag, maar waarom herhaal je zo vaak wat je zegt?'
'Gut, doe ik dat? Doe ik dat?'
'Eh... nou... af en toe. Niet zo vaak, hoor. Hooguit een enkele keer. Geeft verder niet.'
Havana stopte met poetsen en keek naar het doekje.
'Het spul is niet meer wat het geweest is. In Vegas en Milaan, daar hadden ze potjes! Zacht wit spul. Heette "Soft White Stuff". Is er niet meer. Er is zoveel niet meer.'
'Misschien niet, maar er is ook veel nieuws. Dat is toch ook leuk?' zei Meg.
'Het is goed dat je dat denkt. Ik wil je niet uit de droom helpen, maar bijna niets wat jij nieuw vindt, is nieuw. We raken meer kwijt dan erbij komt, meisje. Meer kwijt dan erbij. En nou moet ik aan het werk. Dag Meg. Dag Meg.' Hij stopte het doekje in zijn zak, keek nog even in de spiegel, schudde zijn hoofd en liep naar de deur.
'Meer kwijt dan erbij. Kwijt. Meer kwijt,' hoorde ze hem nog namompelen.
Meg stond bij de kaptafel, een beetje in de war. Ze pakte het potje dat Havana had gebruikt. Er stond 'hydraterende babygel' op. Kon best zijn dat ze vroeger beter spul hadden, ze had geen idee.
Ze liep de gang door naar het kleine podium.
Haar vader zat op de kruk van drie meter hoog. Hij deed of hij

met dingen gooide. Waarschijnlijk oefende hij droog. Met virtuele cavia's.
'Oei!' zei hij.
'Dag papa. Wat is er?'
'Ik liet er een vallen. Gelukkig hoef ik er niet de kruk voor af. Ik heb er nog genoeg in mijn zak.'
'Ja, zoveel als je wilt.'
'Handig hè? Vanmorgen dacht ik, ik ben daar gek. Straks moet ik ook op drie meter. Nou sla ik twee vliegen in een klap. Ik zit waar ik moet zitten en het kost me geen cavia's.'
'Kan ik nog wat voor je doen, papa?'
'Nee, hoor. Het gaat steeds beter. Ik zie je straks.'
Meg liep via de coulissen naar het grote podium. Daar stond de grote Roemeen op zijn handen. De tweede was wat aan het stretchen. Dat wil zeggen: hij liet zijn vingers één voor één knakken door er een rukje aan te geven. Daarna liep hij naar de grote Roemeen en zette zijn handen op diens voeten. Soepel krulde hij zich omhoog tot een handstand.
Meg vond het prachtig.
De nummer drie nam een aanloop en zette zich af op de springplank.
'Koika!' riep hij, terwijl hij in elegante stijl over zijn twee landgenoten heen zeilde.
Die zijn er nog niet helemaal, dacht Meg. Ze zwaaide naar de mannen en liep verder. Daardoor zag ze niet dat de rechterhand van de grote Roemeen op haar zwaaien reageerde. Hij maakte onwillekeurig een klein beweginkje. Dat had vervelende gevolgen voor nummer twee. Die raakte uit balans en wentelwiekte opzij, net op het moment dat nummer drie een nieuwe springpoging ondernam.
Het was een fabelachtig acrobatennummer, alleen niet ingestudeerd.
'Koika! Koika!' riep nummer twee.
'Koika?' vroeg nummer drie. Het was eruit voor hij neerkwam.

Meg had het niet gezien, ze zocht Mark.
Waarom ze dat deed? Ze had geen idee. Ze had niets te doen. Ze wilde hier zijn. Beetje kletsen.
En Mark was haar neef. Nou ja, niet echt natuurlijk. Ze had helemaal geen neef. Maar als ze er een had, dan zou het Mark kunnen zijn. Vertrouwd, niet te intiem, niet te afstandelijk, arm om je nek zonder bijgedachten.
Mark zat in kleedkamer 2. Hij zat te schrijven toen ze binnenkwam.
'Hoi. Stoor ik? Wie ben je aan het schrijven?'
Mark keek op. 'Dag Meg. Ik ben mezelf aan het schrijven. Ik moet een verslag maken over wat ik hier doe. Ben bijna klaar.'
'Dan laat ik je met rust. Doeg.'
'Ho, wacht even. Ik zat te schrijven omdat ik niet wist wat ik verder moest doen.'
'Had ik ook. Ik bedoel...'
'Ik snap het. Kom even zitten, joh. Hoe is het nou?'
'Goed. Beetje spierpijn.'
'Spierpijn?'
'Van het rennen. Hij was snel. Ik moest nog harder.'
'Sjee, spierpijn, en dat na een week.'
'Grapje. Nergens last van.'
'Echt niet?'
'Nee. Beetje aan mijn knie, hooguit. Maar dat voelt niet verkeerd.'
'Mooi. Gaan ze die vent nou pakken?'
'Nee.' Meg pakte een stoel en ging zitten.
'Nee?'
'Nee. Ze kunnen hem niet vinden en ze hebben geen mensen genoeg. Jammer maar helaas. Oh, sorry.'
'Wat is er?'
'Laat maar.'
'Dus de politie doet niks meer.'
'Nee. Ze kunnen niks. Ik baal ervan. Die klootzak kan gewoon

zijn gang blijven gaan. Straks tuint er weer iemand in. Er zijn nog genoeg andere stomme meiden.'
'Mm.' Mark zat wat te krassen in de kantlijn van zijn kladblok.
'Ja.'
'Meg?'
'Ja?'
'Zou je die vent kunnen herkennen?'
'Natuurlijk. Ik heb het voorrecht gehad hem uitgebreid...'
'Nee, dat bedoel ik niet.'
'Wat bedoel je dan?'
'Op het net. Of je hem zou herkennen op het net.'
'Op internet?'
'In de chatbox.'
Meg zat op een draaistoel. Ze draaide een rondje. En nog een.
'Hij noemt zich natuurlijk nooit meer BeauX.'
'Nee, uiteraard. Maar los daarvan, zou je hem herkennen?'
Meg draaide nog een rondje.
'Herkennen... eh.'
'Denk eens na. Als je hem op je scherm zou zien, zou je hem dan herkennen?'
Weer een rondje. Meg deed haar ogen dicht. Ze dook naar binnen. Het voelde niet goed, maar ze wist loepzuiver wat Mark bedoelde. Ze zag de woorden voor zich. De grapjes, de korte zinnen. Beaux' twijfel en zijn subtiele manier van overreden.
'Er zijn wel een paar dingen die hij vaak deed. Of af en toe. Maar wie zegt dat hij dat weer zo zal doen?'
'Niemand praat hetzelfde. Iedereen heeft zijn eigenaardigheden. Stopwoordjes, bijvoorbeeld. Een bepaalde uitspraak. Of altijd dezelfde grapjes. Zoiets. Dat heb je vaak zelf niet in de gaten.'
'Maar praten is iets anders dan chatten.'
'Is dat zo? Het gaat misschien iets langzamer, maar met chatten kunnen er toch ook bepaalde gewoontes insluipen? Automatismen?'
Meg dacht na. Ze zag het scherm voor zich.

'Als je gelijk hebt, zou ik hem misschien kunnen herkennen. En wat dan nog? Wat als ik hem herken?'
'Niet "ik". We.'
'Wat bedoel je?'
'Ik zou je kunnen helpen.'
'Met hem herkennen?'
'Waarom niet? Als jij me vertelt waar ik op moet letten, kan ik hem toch ook herkennen?'
Zou kunnen. Meg keek Mark aan. Hij lachte, zijn hele gezicht deed eraan mee.
'Je kijkt of je er zin in hebt,' zei Meg.
'Sorry. Dat zeggen ze wel vaker.'
Het praten deed haar goed. Alsof er in ieder geval iets gebeurde. Alsof die zak tenminste geen honderd procent vrij spel had. Niet dat ze wist waarom dat zo was, maar het voelde goed. En dat het met Mark was, voelde ook goed.
Neef Mark. Vertrouwd.
Zijn lachen hielp ook.
Haar moeder lachte nooit meer dan een beetje. Naar binnen toe. Haar vader hardop. Met veel lawaai. Havana lachte ook, maar bij hem zag je dat hij misschien liever huilde.
Mark lachte stil maar met alles wat hij had. Hij trok zijn benen een beetje op. Zijn buik bewoog. En het leukste: zijn oren wippen een stukje naar achteren.
'Wat zit je te kijken?' vroeg Mark.
'Zat ik te kijken? Eh... ik zat na te denken.'
'Je keek naar mijn oren. Je zag ze bewegen en dacht: "Goh, ze bewegen." Beken het maar.'
'Ik zag ze bewegen en dacht: "Goh, ze bewegen. Wat leuk."'
'Had ik het bijna goed. Waar hadden we het over?'
'Dat je me zou kunnen helpen hem te herkennen.'
'Oh ja. En stel dat het lukt. Stel dat we hem vinden in de chatroom.'
'Dan bellen we niet de politie, want die is te laat.'

'Precies.'
'We kunnen de andere kletsers waarschuwen. Begin er niet aan! Deze zak speelt vals!'
'Dat zou al helpen. Doen we tenminste iets nuttigs.'
'We bellen de baas van de box, dat ze die engerd eruit moeten pleuren.' Meg kwam op dreef, merkte ze.
'Ook mooi. Alleen, dan verandert hij zijn naam en kunnen we opnieuw beginnen.'
'Mm. Da's waar.'
'Tja.'
'Tja.'
'Ik zou hem privé kunnen nemen en hem vertellen wat een klootzak hij is en dat hij met zijn poten...' Mark haalde zijn schouders op.
'Dan lacht hij je uit.'
'Ja, ik denk het ook.'
'Ik kan er ook op ingaan,' zei Meg. Ze ging rechtop zitten.
'Waarop ingaan?'
'Vroeg of laat probeert hij het weer. Stel dat hij mij heeft uitgezocht en ik ga eropin.'
'Je bent geschift.'
'Wacht nou even. Hij maakt contact met mij. Of ik met hem, net hoe het loopt in de chatroom. En dan wil hij afspreken. En dan zeg ik "ja".'
'Meg Bloemhard, ga je mond even spoelen, de wc is om de hoek. Je bent gek.'
'En we vertellen de politie dat ik met hem heb afgesproken en die gaat dan mee en dan pakken ze hem.'
'Een val. Je wilt hem in de val lokken.'
'Ja.'
'Veel te gevaarlijk. Als het al zou lukken. Die vent is niet gek. Hij weet heus wel dat er op hem geloerd wordt.'
'Dat weet hij misschien, maar hij denkt ook dat hij onkwetsbaar is. Niemand weet wie hij is, hij is niet op te sporen, hij kan doen

wat hij wil. En daar geniet hij van. Hij heeft geen enkele reden om te denken dat er politie meekomt met zijn date.'
'De vorige keer was hij ook achterdochtig. Hij stond achter je in de bosjes. Dat betekent dat hij geen enkel risico neemt.'
Meg stond op en stak haar handen op. 'Mark, als hij dat weer doet, is hij de lul! We kennen hem! We weten wat hij doet op zijn afspraak! Het kan niet mislukken!'
'Ik vind het een stom, achterlijk, gevaarlijk, bezopen puberidee.'
'Je hebt nog niet verteld wat er fout aan is. Omdat er niks fout aan is! Je kunt niks bedenken, beken het maar! Mark, we gaan die vent te grazen nemen! Ik kon nog weglopen, maar je weet niet of dat altijd lukt!'
'Dat is ook zo, Meg. Ik zou hem het liefst hier en nu in de trapeze hangen. Maar daar gaat het niet om. Je moet niet de held gaan uithangen. Die kerel is veertig, sterk, gevaarlijk en wat erger is, gek. Ik ben ertegen. Je vader en moeder ook, denk ik.'
'Mm. Mark?'
'Ja?'
'Stel dat we hem herkennen.'
'Goed. Stel.'
'En stel dat hij met me wil afspreken?'
'Ja?'
'Laten we hem dan lopen?'
Mark slenterde naar de spiegel, keek zichzelf aan, probeerde een 'doe niet zo dom'-uitdrukking met zijn mond en liep terug.
'Ja. Tenminste, jij. We kunnen in dat geval misschien eventueel wie weet, de kans is natuurlijk heel klein, het is mogelijk te overwegen dat we, dat wil zeggen jij natuurlijk niet, dat is veel te gevaarlijk, dat we, ik bedoel met de politie, gesteld dat we zeker zijn dat hij het is, dat we dan een kijkje gaan nemen, hoewel we weten dat het waarschijnlijk volledig nutteloos is, en met "we" bedoel ik de politie en misschien ik en zeker niet jij, daar ben ik absoluut tegen,' zei Mark.
'Je bedoelt dat je het een goed idee vindt.'

'Het is een fantastisch idee.'
'Goed. Je zei zo-even dat je me wilde helpen. Geldt dat nog steeds?' vroeg Meg.
'Natuurlijk. Ik laat je niet alleen in die chatjungle.'
'Best leuk, hoor, die jungle. Als je de weg weet.'
'En jij weet de weg.'
'Ja. Tenminste... ja.'
'Je twijfelt.'
'Ik heb hulp.'
'Hoezo, ik heb hulp? Ja van mij, maar ik weet de weg niet. Jij moet mij helpen, zo zit het eigenlijk.'
'Het is heel stom, laat maar.'
'Er wel over beginnen en dan zeggen "laat maar". Mooi niet,' zei Mark.
'Ik kan het niet uitleggen. Ik surf wel eens als Troetel.'
'Troetel?' Mark snikte even. Zijn gezicht veranderde in een lachende mond.
'Ja, Troetel ja. Lach maar even uit, ik wacht wel.'
'Sorry. Troetel dus. Wie is Troetel?'
'Dat ben ik. In de chatroom. Ik ben ook Troetel.'
'Is de zak dus met Troetel in zee gegaan?' vroeg Mark.
'Nee. Met Sister. Dat is iemand anders.'
'Dat is iemand anders. Ik begrijp er even helemaal geen moer van. Wie is Sister dan?'
'Dat ben ik. Soms. De ene keer ben ik Sister, de andere keer Troetel. Soms ben ik gewoon meer Sister dan Troetel, begrijp je?'
'Ik doe mijn best. En nou wil je als Sister contact proberen te leggen.'
'Nee, niet als Sister. Die kent hij al.'
'Ah, ik begin het te snappen. Als Troetel dus.'
'Nee, die bewaar ik liever voor iets anders. Ik dacht meer aan Wuftie.'
'Wuftie? Wie is dat nou weer?' Mark probeerde niet te lachen.

Dat lukte aardig, maar het kostte hem zoveel moeite dat hij rood aanliep.
'Dat ben ik,' zei Meg.
'Jij bent Wuftie.'
'Niet zo vaak, maar als ik haar nodig heb, is ze er. Meestal, tenminste. Ze is heel sterk, lult goed en ziet er goed uit. Ook in de chatroom, heb ik gemerkt.'
'Ze ziet er goed uit in de chatroom? Hoe kan dat?'
'Ik ga je niet alles uitleggen, analfabeet. Het kan. En hou eens op met rood aanlopen. Ik weet zelf ook wel dat het idioot klinkt wat ik zeg.'
'Valt wel mee hoor. Beetje geflipt misschien, hooguit wat geschift, maar idioot, nee. Dat absoluut niet.' Mark werd weer roder.
Meg maakte een flitsende beweging met haar hand. Mark reageerde bliksemsnel. Daardoor kwam de natte washand niet tegen de spiegel maar vol op zijn rechteroor. De natte klets zakte in zijn hals.
'Zo,' zei Meg. 'Misschien kunnen we nu verder overleggen?'
Mark stond op en pakte een handdoek.
'Mooie worp. Mooie stijl, ook. Zeker drie punt zeven, maar het kan ook meer zijn. Je bent een bijzonder geval, Meg.'
'Dat was Wuftie. Snap je het nu? Komt hij een beetje door, sufkop?'
Mark keek in de spiegel, even naar Meg, naar zijn schoenen en weer naar Meg. Hij lachte nog steeds, maar het percentage lag iets lager.
'Je bent een harde, Wuftie.'
'Moet ook. Er is een hoop te doen. Sorry, deed het pijn?'
'Welnee. Wuf... ik bedoel Meg?'
'Ja?'
'Ik kom morgenmiddag bij je langs. Werken we de zaak verder uit. Wat vind je?'
'Strak plan.' Meg liep naar Mark en veegde met de handdoek zijn hals droog.

Het karretje was behoorlijk verroest, want het stond er al maanden.
Nou ja, stond. Het lag half op zijn heup, het linkerachterwiel was eraf. Een winkelkar van de supermarkt twee straten verder. Er zat nog een halfvergaan boodschappenlijstje tegen de binnenkant geplakt. Alleen 'aar app schou arbo de' was nog te lezen, maar dan moest je al goede ogen hebben. Iemand had hem ooit voor een halve euro aangeschaft en meegenomen voor een enkele reis.
En nou hing het ding hier. Geparkeerd tegen een armoedige struik voor het flatgebouw.
En de halve euro zat er vast nog in.
Misschien was hij ooit meegenomen door de vriendelijke junk, want die vergat wel vaker iets terug te brengen.
Of door meneer van Wonderen. Die had zo'n last van zijn rug dat hij hem mogelijk als rollator had gebruikt.
Blonde Tinie had het karretje zeker teruggebracht. Anders Evita wel.
Ahmed gebruikte nooit een winkelwagentje. Aan een mandje had hij genoeg. Hij was de enige die nooit met een kratje bier hoefde te slepen.
Het zou de student van een halfjaar geleden kunnen zijn.
Een jongen van misschien achttien. Hij studeerde geschiedenis.
In de avonduren, want overdag moest hij geld verdienen.
Dat deed hij tussen de verse groente in de supermarkt.
Verdacht.
Maar hij was het niet.
In de tuin achter het laatste huisje stonden nog twee karretjes weg te roesten. Daar zaten nog guldens in, zo lang stonden ze er al.
Een tuintje van niks, trouwens. Vier meter onkruid bij vijf meter rotzooi.
Daar kwam de achterdeur op uit. Niet dat die nog open kon. Jaren geleden was het slot vernield door een boze bewoner.

Die woonde er nog steeds.
Het was nog licht, zonnig zelfs, maar de bewoner keek liever naar binnen dan naar buiten. Dus hield hij zijn gordijnen dicht. Mooie bruine gordijnen.
Maar donker was het niet in de woonkamer. Het licht van de twee beeldschermen was wit en helder. Elk detail, elk hoekje, elk spinnenweb en elke pissebed in het kleine vertrek was zichtbaar. Een gewone lamp was feitelijk niet nodig. Die was er ook niet.
De draaistoel was verlaten. De asbak vol. Er lag een filter te smeulen. Naast het toetsenbord een tijdschrift voor jonge meiden. Er waren een paar dingen met een vette viltstift omcirkeld.
De man met de grote handen zat op de wc. Hij trok aan de rol papier, maar na twee blaadjes was het op.

8

‘Wie nog een toostje? Ik heb er twee in de aanbieding,’ zei Megs moeder. Ze stak de boterhammen in de lucht en keek erbij alsof zij ze gewonnen had. Het zondagochtendontbijt was wat haar betrof het gezelligste uur van de week.
‘Doe mij nog maar zo’n bruin plankje,’ zei Megs vader. Hij knipoogde naar Meg.
‘Dat is flauw, Peter. Ik moet gewoon nog wennen aan de nieuwe rooster.’
‘Mag ik een gewone boterham?’ vroeg Meg.
‘Gekookt eitje erbijtje?’ Megs vader had er twee in zijn linkerhand en twee in zijn rechter.
‘Nee, bedankt. Ik heb zin in jam.’
‘Jammer,’ zei Megs vader.
‘Ha gezellig, jongens. Wat zullen we vandaag eens gaan doen? Het is prachtig weer. Wat vinden jullie van een rondje Stadspark? Of van een uurtje roeien op het Friescheveen? Weet je nog, Peter? Dat we een bootje huurden en dat jij dan roeide en dat ik met mijn voeten in het water hing en jij een liedje floot, ons lievelingsliedje, en we dan aanlegden bij een eilandje van mos en dat jij eruit stapte en dat je toen tot aan je dijbenen in de modder zakte en dat je schoen bleef zitten? Was heel romantisch. Vond jij toch ook, schat?’
‘Absoluut! Ik zou het heel graag overdoen, maar niet vanmiddag. Ik moet echt verder met de laddertruc. Ik kom al tijd te kort.’
‘En jij, schat? Zullen we vanmiddag samen een ommetje maken?’
‘Sorry, mama. Straks komt Mark.’
‘Mark? Wat komt die hier doen? Wat heb jij ineens met Mark?’
‘Hoezo “wat heb jij ineens met Mark”? Hij is gewoon een goeie vriend.’

'Voor het eerst dat ik het hoor. Maar goed. Wat gaan jullie doen?'
Meg aarzelde even. 'Oh... een beetje... eh... pc'en.'
'Je klinkt alsof de deur daarbij op slot gaat.'
Dat klopt, dacht Meg, maar dat zei ze niet. 'Nee hoor. Ik ga hem uitleggen hoe sommige dingen werken.' En zo was het ook.
'Mm, jammer. Dan ga ik wel alleen. Rondje Sterrebos, dat is lekker dichtbij. En dan een kopje koffie in de Rotonde. Kom, zullen we even afruimen?'
Megs vader stond op en pakte de drie ontbijtbordjes. Ze waren nog van oma van der Hoeven geweest.
'Voorzichtig, Peter. Het zijn de laatste.'
'Weet ik. Er kan niks misgaan, deze gaat altijd goed. Al twintig jaar. Let op!' Megs vader gooide het eerste bordje in de lucht en ving het met dezelfde hand op.
'Tada!'
Hij gooide het tweede bordje omhoog en ving het op.
'Tada!'
Het derde.
'Tada!'
Toen alledrie.
'Oeps!'
'Peter! Wat zei ik nou?'
'Komt van de jam, kan niet anders. Sorry. Stomme vloertegels ook.'
Megs moeder haalde twee keer diep adem en draaide zich om. Ze had de laatste tijd soms last van een trillip.
Drie minuten kropen Meg en haar vader over de grond. Daarna was er niets meer van te zien. Alleen in de servieskast was het wat minder vol.
'Dag papa, dag mama. Ik ga naar boven. Huiswerk. Nederlands. Ik heb een spreekbeurt binnenkort.'
'Dag lieverd. Kijk uit en doe geen domme dingen,' zei haar vader.

Meg ging achter haar pc zitten. Leuk plan, hoor, voor die spreekbeurt. Liefduh, rappen.
Maar het schoot niet op. Ze had nog drie weken. Dan moest ze optreden voor die idioot. Die verkeerde vent met zijn verkeerde scheiding en zijn verkeerde vest en zijn verkeerde stem.
'Lieieufde. Het gaat over lieieufde,' had hij door de klas gesnerpt. Verkeerde man.
Wat had ze tot nu toe? Meg klikte het bestand 'LIEFDUH' aan.
'Liefduh liefduh hamerharde zomerzachte boterbloemen
Liefduh liefduh toverkleurig okselgeurig ochtendtreurig
Liefduh Liefduh'
Dat was alles.
Kom. Nadenken! Ze had nu een tekst van tien seconden. Het moest langer, veel langer.
Goed. Volgende zin. Eh...
'Liefduh liefduh waterwarme koelekalme zomerdingen'
Vooruit, dat kon. Het sloeg nergens op, maar het klonk lekker. Verder.
'Liefduh liefduh zuiverzoetemond zachte ondergrond lieve ronde kont'
Over dat laatste moest ze nog maar eens nadenken. Het zou haar gegarandeerd een onvoldoende opleveren.
'Lieve lieve hond' dan? Kleutertaal. Klont? Stront? Pond? Nee, allemaal niks.
Rond. Dat was het. Zei ze toch hetzelfde.
'Liefduh liefduh zuiverzoetemond zachte ondergrond dubbelvol en rond'
Zo, dat was wel even genoeg.
Ze moest aan het werk. Straks kwam Mark.
Stafvergadering.

Om kwart voor twee was Meg alleen thuis.
Haar vader was naar Het Hemeltheater, haar moeder naar het Sterrebos.

Om twee uur was ze niet meer alleen. Mark zat naast haar met een glas cola in zijn hand. Ze tuurden naar het scherm. De chatroom Young & Lovely was maar halfvol. Meg en Mark waren Wuftie. Het was de bekende chaos.
Wammes reageerde op Loverboy die net een antwoord gaf aan Speeltje, die haar vraag aan Nasty had gesteld, maar die had de chatroom inmiddels verlaten. Zodoende werd Loverboy kwaad, begon Wammes te schelden en kwam Tuthola binnen die er niets van begreep en Speeltje begon te troosten terwijl die helemaal niet verdrietig was en net iets wilde met Wuftie. Maar Wammes was haar voor en nu dacht Loverboy dat Wammes het tegen hem had, dus die vroeg of hij privé wilde, waarna hij de volle laag kreeg.
Toen ook Kjoet en Kickbox binnenkwamen, was er helemaal geen touw meer aan vast te knopen.
'Hou maar op,' zei Meg. 'Dit heeft geen enkele zin.'
'Ik weet niet waar ik op moet letten,' zei Mark. 'Ik word gek van dat gezwam.'
Meg deed de pc uit.
'We moeten een plan maken.' Ze pakte papier en een pen. 'Je vroeg of ik hem zou kunnen herkennen. Ik heb erover nagedacht. Hij had wel een paar van die, ja, aparte dingen. Ik zal ze opschrijven.'
'Liefst zoveel mogelijk, dat maakt het makkelijker,' zei Mark.
'Ik weet er maar twee of drie. Zo gek deed hij niet. Kijk,' zei Meg, 'hij gaf altijd knuffels. Dat deed hij zoals dat hoort in de chatbox. Met haakjes. Hij deed er altijd vijf.' Meg schreef op:
1: (((((...)))))
'Goed. Wat nog meer?'
'Hij combineerde woorden op een aparte manier. Dan zei hij "Dasis" of da((sis)) als hij "Dag Sister" bedoelde.' Ze noteerde:
2: Dasis
'Mooi. Meer.'
'Vaak zei hij niet "ik" als "ik" voor een werkwoord stond.'

'Eh... geef eens een voorbeeld?'
'Dan zei hij "kga" in plaats van "ik ga". Of "kwil" in plaats van "ik wil". Begrijp je?'
'Duidelijk.'
Meg schreef op:
3: kwil, kga
'Heel goed. Nog meer?'
'Meer weet ik niet. Het is niet veel, hè?'
'Het kan genoeg zijn,' zei Mark.
Meg keek naar het papier. Het was bijna zielig leeg.
'Ik weet het niet,' zei ze. 'Er zijn duizenden chatters. En misschien wel honderd die knuffels met haakjes doen. Geen beginnen aan. En er zijn er ook heel veel die zoiets als "Dasis" schrijven. Of die afkorten zoals "kwil". Hopeloos.'
'Wacht nou even.' Mark tuurde naar het papier. 'Ho even. Wat komt het minste voor, volgens jou? Wat is het bijzonderste van de dingen die je opschreef? Jij moet dat weten, jij hebt ervaring met chatten.'
'Mm. Die haakjes misschien. Dat zie je niet zo vaak.'
'Oké. Stel dat er honderd haakjeschatters zijn. En tien procent daarvan doet ook nog "Dasis" of zoiets. Lijkt me een ruime schatting. Dan heb je er nog maar tien over. En als er van de tien haakjeschatters die "Dasis" doen, tien procent ook nog "kwil" doet, dan heb je nog maar één kandidaat over. Dat moet hem dan vrijwel zeker zijn. Of niet soms?'
Meg keek Mark aan. 'Je bedoelt, dat behalve die zieke klootzak, niemand die drie kenmerken in zijn chattaal heeft?'
'Niet tegelijk, nee. Die kans is miniem. Vertoont hij één kenmerk, dan is hij verdacht. Met twee kenmerken zou het hem wel eens kunnen zijn. Als hij ze alledrie heeft, is het hem.'
'Mm. Ik snap het. Het wordt er al iets overzichtelijker van.'
'Ja. Maar het blijft een enorme klus.'
'Mark? Ik weet nog wat,' zei Meg.
'Zeg het, voor het verdampt.'

'Het is een man. Daarmee valt alweer de helft van de kletsers weg. Scheelt een hoop.'
'Heel goed. Nog meer?'
'Ja. Het is een man die achter meisjes aanzit.'
'Mooi. Maar dat geldt voor de meeste mannen.'
'Niet in de chatbox. De meeste jongens willen alleen maar klooien en kletsen.'
'Goed. Dan valt er weer een stel af.'
'En hij wil al snel privé. Wilde hij tenminste met mij.'
'Je bent op dreef. We gaan hem pakken, Meg. Hij gaat voor de bijl.'
Meg keek naar haar papier. Er stonden nu zes kenmerken op.
'Hoe zullen we het gaan doen?' vroeg Mark.
'We letten op haakjes. Op "kwil" en op "Dasis". Als het geen jongen is, weg ermee.'
'En als het wel een jongen is, maar hij zit niet achter meisjes aan, weg ermee,' zei Mark.
'Als hij niet privé wil, weg ermee.'
'Hij kan niet meer ontsnappen. Het is waterdicht. Hij heeft geen schijn van kans als hij weer op jacht gaat.'
'Als hij weer op jacht gaat,' zei Meg.
'Ja, natuurlijk.'
'En als hij weer haakjes gebruikt en die andere dingen.'
'Spreekt vanzelf. Maar als hij nu drie haakjes doet, let ik ook al op.'
'En als hij weer in dezelfde box komt. Dat weet je niet. Die zak is niet gek. Hij weet dat er op hem geloerd wordt.'
'Klopt ook. Bedoel je dat het toch een speld in een woestijn is, of zo?' vroeg Mark.
'Ja. Maar er is een kans. En als we niks doen, vinden we hem zeker niet. Doe je nog mee?'
'Natuurlijk.'
'Mark?'
'Ja?'

'Ik ben blij dat je er bent.' Meg gaf een kneep in zijn linkerschouder. Hij keek op en lachte van links naar rechts.
'Ik ook.'
'Waar beginnen we? Toch maar in Young & Lovely?'
'Je weet maar nooit. Daar zat hij de vorige keer ook.'

Twee uur tuurden ze naar het scherm.
Wuftie deed haar best. Ze leefde zich helemaal uit. Er was Leatherboy die naar haar benen vroeg. Hij schreef bekakt en wilde niet privé. Flippo wilde dat wel, maar hij vertelde heel eerlijk dat hij dertig was. Weg ermee. En dan was er nog Macaroni. Die zei 'kwil wat' en dat werd nog even spannend, tot bleek dat het een meisje was dat problemen thuis had.
Meg merkte dat Wuftie een beetje met haar op de loop ging. Normaal zat er nog wel een rem op Wufties gedrag, ze was het tenslotte zelf. Maar nu was Wuftie het lokaas: ze moest wel tot het randje gaan. En ondanks alles wat er gebeurd was, ondanks zichzelf, voelde Meg iets dat ze lekker vond. Ze had een alibi. Een smoes om verder te gaan dan ooit. Veel verder dan ze zichzelf zou toestaan onder normale omstandigheden. De combinatie van licht schaamtegevoel en lekkere opwinding was nieuw voor haar. Dat het voor een goed doel was, maakte alles goed. En omdat Mark naast haar zat, kon ze doen of het maar een spelletje was.
Mark.
Hij wees, draaide met zijn bovenlijf, zwaaide met zijn armen, staarde met een vinger omhoog, lachte soms van onder tot boven en legde drie keer een hand op Megs rug. Zomaar, spontaan. Drie keer.
De eerste keer had Meg, een beetje beduusd, er niet op gereageerd.
De tweede keer had Troetel opzij gekeken en geglimlacht.
De derde keer had Wuftie hem over zijn hoofd geaaid.
Meg was er wat verward van.

'Het schiet niet op,' zei Mark. 'Ik sta wel te kijken van je vingervlugheid. En Wuftie vind ik een gevaarlijke meid. Sjees, wat jij in zit te typen, zeg. Zo ken ik je helemaal niet.'
'We zijn aan het werk, dombo. Ik moet wel.'

'Wat ben je stil,' zei Megs moeder. 'En ik heb nog wel je lievelingsmaaltje klaargemaakt.'
Ze zaten met zijn tweeën aan tafel. Megs vader was nog aan het oefenen met de cavia's in Het Hemeltheater. Hij had gebeld dat hij wat later kwam 'omdat die verrekte beesten niet wilden luisteren'.
Meg had geen zin om te praten. Ze zat vol. Een beetje met Mark – lekker vol – maar vooral met Wuftie. Een hele middag Wuftie, dat ging je niet in je koude kleren zitten. Sodeju, wat een geraffineerde kletskop, Meg wist niet dat ze het in zich had. Ik leer mezelf wel kennen, dacht ze. Waar chatten al niet goed voor is. Bekaf was ze.
En wat had het allemaal opgeleverd? Niets. Nul komma niks.
Wuftie had zich opengesteld voor contacten. Soms voorzichtig, soms een beetje versierderig. Je bent een del, Wuftie, had Mark gezegd. Hij lachte erbij. Na Leatherboy, Flippo en Macaroni was ze nog meegegaan met Wokkel, Voorspel, Vosje en Floris. Geen frisse jongens.
Maar geen 'kwil', geen knuffels, geen 'dawuf' of zoiets. Niets. Die vent was er niet, of hij was veranderd in een ander, of hij hapte niet. Of hij was verhuisd.
Woensdagavond zouden ze het opnieuw proberen.
'Wil je nog een beetje?' Megs moeder roerde in een steelpannetje.
'Nee, dank je.'
'Dan neem ik nog wat. Zonde om weg te gooien.' Megs moeder gooide het bruine prutje op haar bord. Ze keek er even naar en begon voorzichtig met haar vork in de stukjes te prikken. Ze zuchtte.
'En papa?'

'Die eet in het theater. Meg?'
'Ja?'
'Is het iets met school?'
'Nee, er is niets met school.'
'Mark? Een jongen?'
'Nee. Laat nou maar. Ik ben gewoon moe.'
'Dat gedoe met die vent dan?'
'Daar hebben we het al uitgebreid over gehad, mama. Ik heb geen zin om er nog over te praten.'
Megs moeder zuchtte weer. 'Ik heb drie eekhoorntjes gezien,' zei ze. 'Het was zo mooi, ze zaten achter elkaar aan. In het Sterrebos. Je moet toch eens meegaan. Prachtig, hoor, het Sterrebos.'
'Is goed, mama.'
'En dan gezellig een kopje koffie in de Rotonde.' Karin Bloemhard keek naar haar dochter en glimlachte stil en warm.
Er viel een stukje van haar vork, maar ze had het niet in de gaten.

9

<zorro> *dag wuftie, ben je nieuw hier?*
Dat klopte.
'Misschien is hij verhuisd naar een andere chatbox,' had ze tegen Mark gezegd.
'Heel goed mogelijk.'
'Maar waarheen? Er zijn wel drieduizend chatboxen.'
'Meer.'
'Hopeloos.'
'Wacht even. Hoe kwam je aan het adres van Young & Lovely?' had Mark gevraagd.
'Uit een blad. "Sixteen" heet het.'
'Heb je dat hier liggen?'
'Ik geloof het wel. Ergens op die stapel, denk ik.'
'Pak eens? Wie weet.'
'Wie weet wat?' Meg was aan het zoeken. Het blad lag onderop. Als ze daar was begonnen, had het natuurlijk bovenop gelegen, bedacht ze.
'Misschien staan er nog een paar chatboxen in. Jij hebt het adres gevonden in dat blad. Hij misschien ook. Stel dat hij wilde verhuizen, dan heeft hij – ja, het zou toch kunnen? – misschien het blad er weer bij gepakt.'
'En dat doen wij nu dus ook. Hier, bingo! Girlscafé.'
'Nog meer?'
Meg bladerde. Tuurde. Las.
'Nee. Alleen die twee.'
'Het is het proberen waard, Wuftie! Let's go for it!'
En dus zaten ze nu in Girlscafé. Althans, Wuftie.
Druk was het er niet.

Een stuk of zeven kletsers.
En Zorro, dus.
<zorro> *ik vroeg je wat, wuftie*
<wuftie> *ik hoor je wel*
<pacman> *dag wuftie, hoe is het?*
<zorro> *hou je erbuiten pacman, pas op dat ik je niet pacman*
<pacman> *niet zo aggressievo. Ik mag toch ook wel ff*
<zorro> *nee, niet met wuf. Ik ben met wuf. Wuf?*
<wuftie> *dag zorro. Heb je een degen? Een lange?*
<zorro> xxx{::>
<pacman> *dingetje van niks*
<zorro> *lang genoeg, wuftie?*
Meg keek Mark aan. Hij liep weer rood aan. Tot hij het niet meer hield. Hij proestte en brulde, zijn oren deden mee, zijn hoofd lag achterover in zijn nek. Hij hikte van het lachen. 'Ss s... s... s... sorry... ik had het niet meer.'
'Geeft niet. Wuftie vindt het vreselijk grappig. Ik trouwens ook.'
Eigenlijk kon dit niet. Ze waren aan het werk. Ze waren een perverse klootzak aan het zoeken. Zaten ze een beetje te lachen. Heerlijk.
Het kon niet, maar zo voelde het wel.
Mark legde een hand op haar schouder. Hij keek haar even aan en knikte. 'Kom, Wuf, ga door.'
<wuftie> *ja, lang genoeg. Hoe oud ben je?*
<pacman> *ik ben 15. Maar die mislukte cowboy hooguit 12*
<zorro> *aftaaien pacman, ik was eerder*
<pacman> *maar ik ben slimmer. En ouder*
<zorro> *wuftie, ik ben zestien. En jij?*
<wuftie> *ik ook. Hoe zie je er uit?*
<zorro> *blond haar. Blauwe ogen. En jij?*
<wuftie> *blond, lang haar. Bruine ogen*
<zorro> *klinkt mooi. Ben je mooi?*
<wuftie> *heel mooi. Wat dacht je dan dat ik zou zeggen?*
<zorro> *waar woon je?*

<wuftie> *ja, dag*
<zorro> *sorry, het was maar een vraag. Zullen we privee?*
<pacman> *niet doen, wuftie. Het is een ouwe vent. Of een kleuter. Niet aan beginnen*
<zorro> *bemoei je er niet tegenaan eikel*
<wuftie> *waarom denk je dat, pacman*
<zorro> *waar zit je pacman, dan kom ik even langs*
<pacman> *zie je? Die knul spoort niet helemaal*
<wuftie> *en jij wel?*
<pacman> *alles mag, niks hoeft*
<zorro> *wuftie, ik was met jou*
<pacman> *nu niet meer, kleuter*
<wuftie> *wat wil je, pacman?*
<pacman> *kwil privee. Jij?*
Meg schrok en zat onmiddellijk rechtop. Ze keek opzij. Mark had het ook gezien. Er was niets lacherigs meer.
Kwil.
Tien procent.
Hooguit tien procent van de chatters deed 'kwil' of 'kga'.
De eerste kwil in dagen.
'Ga door,' zei Mark. Hij zei het niet onvriendelijk, wel dwingend.
<wuftie> *goed*
Meg was blij dat ze niet alleen was. Mark had een hand op haar schouder gelegd. Hij had het waarschijnlijk niet eens in de gaten.
<pacman> *zo, zijn we dan. Zit je goed?*
Meg keek even opzij.
<wuftie> *heel goed*
<pacman> *mooi zo. Ik ook. Op mijn kamer in een leeg huis. Mijn ouders zijn bij de buren aan het kaarten. Ik heb het rijk alleen. Cola en chips naast me. Ik heb er zin in*
<wuftie> *doe me maar wat chips. Ik lust wel wat*
<pacman> *kzou wel willen, mooie blonde wuftie met je bruine ogen*

Kzou.
Hij deed het weer.
Ze moest nu doorzetten. Meg kreeg een kneep in haar schouder. Doorgaan!
<wuftie> *geblondeerd, hoor*
<pacman> *maakt me niks uit. Heb je ook een mooie stem? Hoe ruik je?*
Dit wordt ranzig, voelde Meg. Maar wat gaf het. Ze moest door.
<wuftie> *mijn stem is een beetje laag. Ben nogal hees. En ik ruik naar mezelf. Hier en daar wat meer dan ergens anders*
Ranzig meedoen. Uitlokken. Zelfs voor Wuftie was dit hoog spel.
<pacman> *het is heel gek, dit doe ik nooit. Veel te gevaarlijk. Maar ik heb gewoon zin om met je af te spreken. Om je te zien. Maar ja, stel dat je een ouwe kerel bent. Nee, veel te link. Laat maar*
Knal!
Dit toontje kwam Meg bekend voor. Het 'nee, laat maar' toontje, maar ondertussen.
'Dit lijkt op hem, Mark!'
Mark kneep weer even. 'Ga door. Lok hem verder uit de tent. Maar niet te snel happen! Dan wordt hij wantrouwig. Je doet het heel goed.'
<wuftie> *ik een ouwe kerel? Misschien jij wel! Zijn we twee ouwe kerels die elkaar ergens ontmoeten. Das wel lachen natuurlijk*
<pacman> *ha ha. Dan kunnen we het ook veilig doen. Twee ouwe kerels of een mooi meisje en een leuke jongen. Toch eens over denken?*
<wuftie> *denken is niet gevaarlijk. Wil ik wel doen. Fantaseren is leuk. Jij daar, ik hier. Misschien leuker dan in het echt*
'Heel goed, Meg,' zei Mark.
<pacman> *helemaal mee eens. Misschien val je wel tegen in het echt*
<wuftie> *of jij*
<pacman> *Maar misschien ook niet. Misschien lopen we iets moois mis. Zou jammer zijn. Toch? Hoe meer ik er over nadenk, zouden we niet... ach laat maar. Je wilt toch niet. Kdurf misschien ook wel niet*

Weer!
'Nu er een eind aan maken, Meg,' zei Mark. 'Niet te snel gaan. Een afspraak voor over een paar dagen. Zaterdagavond of zo, dan heb ik vrij. Laat hem even bungelen!'
'Was ik al van plan.'
'Kunnen we zien hoe hij afscheid neemt. Ik ben benieuwd.'
<pacman> *waar ben je wuftie?*
<wuftie> *moest even nadenken. Je gaat een beetje snel*
<pacman> *sorry, zo bedoelde ik het niet. Ik had gewoon, nou ja, opeens zin om... laat maar*
Weer dat 'gelaatmaar'.
<wuftie> *ik moet naar bed. Morgen heb ik een spreekbeurt*
Ze verzon ze waar je bijzat.
<pacman> *jammer. Zie ik je nog?*
<wuftie> *eh... zaterdagavond kunnen we misschien nog even kletsen. Dan ben ik alleen thuis. Nou moet ik weg*
Een kneep in haar schouder.
<pacman> *goed. Afgesproken. Ik zie je dan. Slaap lekker*
Het was hem niet.
Het was hem dus niet.
Laatste poging.
<wuftie> *dag pacman*
<pacman> *dag ((wuftie))*
Het was hem wel. Het moest hem zijn.
Nu alleen nog dawuf.

Het was zaterdagochtend om halfelf druk in de stad.
Veel bussen, veel dagjesmensen, veel oude mensen die de tijd namen met oversteken. Het was markt en uitverkoop. En mooi weer, dus het ging van winkel naar terrasje en marktkraam en terug.
'Kwaliteit!' riep de man van de appels. 'Een euro de zak!'
Daar moest een oude man om lachen. Hij maakte een voor de hand liggende grap tegen zijn vrouw. Ze schudde met haar grij-

ze krulletjes en keek om zich heen alsof ze hoopte dat niemand haar man had verstaan.
Meg fietste via de Oosterstraat richting Grote Markt.
Het fietste lekker.
Beetje slalommen. Haar in de wind. Zon van boven.
Ik heb eigenlijk helemaal geen haast, dacht ze. Vanmiddag moet ik pas aan de bak. Ze hadden een nieuwe zwaai tussen de gordijnen voor haar bedacht in Het Hemeltheater. Om twee uur zou ze worden vastgeklikt.
Dus fietste ze het theater voorbij, langs het gedempte Boterdiep, zo de stad uit. Als je dan links aanhield, kwam je op de Koningslaagte, een vergeten natuurgebied. Een rustig weggetje, een paar boerderijen en scheefstaande wilgen.
Dan kan ik even nadenken, dacht Meg, dat is misschien wel goed. Er is zoveel gebeurd.
Maar het wilde niet komen.
Die zak uit de chatbox, ze had geen zin om erover te denken. Het was hier veel te mooi.
Wat hij haar had aangedaan, het was al behoorlijk weggezakt. Wat had het voor zin om alles weer op te roepen.
Straks ging ze naar Het Hemeltheater toe. Lekker zwaaien en hangen. En kletsen met de anderen.
Mama was met een vriendin aan het wandelen in het Noorderplantsoen. Ze had opgetogen het huis verlaten.
Vanavond moest ze chatten. Alsjeblieft, nu even niet.
Mark dan.
Aan hem had ze de afgelopen dagen veel gedacht. Dat was nog allemaal niet zo eenvoudig. Hoe moest je denken als je gevoel de baas was? Wat als je gevoel van links naar rechts schoot? Dat kun je met je denken toch niet bijhouden? Ben je net hier aan het denken, moet je weer een heel ander gevoel verklaren. Geen touw aan vast te knopen soms.
Dan alleen maar voelen. Lag ze 's nachts haar best te doen om alleen maar te voelen. Af en toe lukte dat even, heerlijk was dat.

Maar dan begon dat denken weer. Dan dacht ze: hou op met denken. Lag ze dus toch te denken.
Mark.
Als ze erover nadacht, voelde het wel goed.
Dat was ook zoiets.
Daar kwam je dus niet uit.
Meg fietste met de wind mee tot het kerkhofje met de toren en het bankje. Er was niemand te zien. Alleen een geit aan een touw. Het leek of die blij was dat ze er was. Het dier was ook maar alleen.
Ze parkeerde haar fiets tegen een scheve steen. Er stond op: Hans Woldring, geb. 14 Februari 1864, overl. 18 April 1872. Toen Meg zag dat Hans maar acht jaar was geworden, legde ze haar fiets in het gras. Ze ging op het bankje zitten en haalde een Mars uit haar zak.
De wind en de zon en de Koningslaagte.
En de Mars.
Het kwam spontaan. Het borrelde op. Er was iets aangeboord kennelijk. Laat maar komen.
'Liefduh liefduh waaiewinden zonnezonde moddergronden
Liefduh liefduh watertanden schouderhanden lachgezicht'
Zo kon hij wel weer even.
Meg pakte haar fiets, zwaaide naar Hans en peddelde terug.

Havana zat in zijn draaistoel. Hij had zijn been even afgedaan vanwege de kriebel. Het ding stond keurig op zijn voet, naast hem tegen de kast.
'Dag Havana,' zei Meg toen ze binnenkwam.
'Dag lieve kind,' zei Havana. 'Let maar niet op hem, die doet even niet mee.' Hij wees naar zijn ledemaat.
Meg keek om zich heen. De vloer was bezaaid met scherven.
'Hoe gaat het, Havana?'
'Ach, wat zal ik zeggen. Beter, maar niet goed. Goed, maar niet beter. Dat krijg je als je ouder wordt.'

Meg pakte een stoel. 'Wat is er met je been? Had je er last van?'
'Nee, hij had last van mij. Hij zat me te jeuken. Ach, weet je, hij is nog net zo mooi als vijftien jaar geleden. Kan je van zijn dijbeen hier niet zeggen. Oogt natuurlijk van geen kanten meer. Die twee stukken zijn uit mekaar gegroeid. Wat zeg ik, ze zijn uit mekaar gegroeid.'
Meg knikte. 'En je truc? Ben je opgeschoten?'
'Zeker, zeker. Kijk maar op de grond. Vandaag ben ik tot drie gekomen. Drie keer heb ik losgelaten. Dat moet jaren geleden zijn dat me dat is gelukt. Het gaat steeds beter, maar het is kort dag. Kort dag.'
'Heb je borden genoeg? Zal ik er nog wat halen?'
'Alsjeblieft niet, kind. Ik word zenuwachtig van die stapel. Het idee dat ik ze nog allemaal moet laten vallen, ik doe 's nachts geen oog dicht. Ik zal je wat vertellen: ik doe 's nachts geen oog dicht. Kom, ik moet aan de slag.'
Havana stond op en gooide achteloos achter zijn rug om een bordje omhoog. Hij keek niet eens toen hij twee seconden later zijn hand uitstak. Hij ving het feilloos op.
'Oeps,' zei Havana. 'Foutje.'
'Komt wel goed, Havana,' zei Meg. 'Het ging maar net goed. Fout, bedoel ik. Dag!' Ze zwaaide naar Havana.
De oude man hinkte terug naar zijn stoel. Toen hij zat, gaf hij een schop tegen zijn andere been.
'Dag lieverd,' hoorde Meg hem nog mompelen. Ze wist niet of hij het been of haar bedoelde.
Voor ze aan het werk ging, wilde Meg nog even bij de Roemenen langs. Ze was benieuwd of ze al wat verder waren.
Dat leek er wel op.
Toen ze het kleine podium op kwam, stond de derde Roemeen op zijn handen op de voeten van de tweede. Hij wankelde wat, maar hij bleef staan. Het was een imposant gezicht, de menselijke toren was zeker vijf meter hoog.
De vierde Roemeen maakte zich klaar. Hij stond op ongeveer

tien meter van zijn collega's en nam een aanloop. Meg hield haar adem in. De Roemeen sprintte voluit. Vlak voor hij de springplank bereikte, hield hij in. Het was duidelijk dat hij niet helemaal goed uitkwam. Hij remde zo hard hij kon, maar hij ging net iets te hard. Niet dat hij iemand raakte, dat niet. Maar de onderste Roemeen was er kennelijk niet gerust op. Hij trok onwillekeurig een hand op om de klap af te weren. Dat had hij beter niet kunnen doen. De derde Roemeen viel ver buiten de mat.
'Kan ik iets... doen... zal ik iets...' hakkelde Meg, want ze kende geen woord Roemeens.
De eerste Roemeen, de grote, keek haar lachend aan. De tweede glimlachte. De derde niet.
Meg voelde zich niet op haar gemak. 'Koika!' zei ze. Je moest toch wat.
Toen lachten ze alle vier. Ze kwamen niet meer bij.
Meg trok zich bescheiden terug.
Ze had nog tijd genoeg. Tijd genoeg om naar de kleedkamer van de grote sterren te gaan en even in de oude stoel voor de spiegel te zitten. Toen ze zat en keek, vond ze zich mooier dan anders. Haar korte sluike haar leefde. En zo mager was ze nou ook niet. Die ogen, ben ik dat? Even knipperen, dat was Troetel. Lippen, die had ze toch al. Beetje naar voren: Wuftie. Meg ging rechtop zitten. Meer dan rechtop. En als ze zichzelf dan van opzij bekeek: Wuftie.
Ze lachte even naar Wuftie en zag dat haar lach een beetje scheef was. Haar ene oog deed iets anders dan het andere.
Toen was ze weer Meg. Gewoon Meg. Voelde ook best goed. Maar om daar nou nog langer naar te kijken, nee.
Haar vader was aan het werk op het grote podium.
Je zou zeggen dat een podium van tien bij vijftien meter groot genoeg zou zijn voor zo'n kleine act. Maar daar kon je je lelijk in vergissen.
Overal cavia's, plukken haar.

Mark stond bij de hoge kruk en probeerde te vangen wat er te vangen viel. Af en toe gooide hij een beestje terug.
'Ha! Dag lieverd!' riep Megs vader vanaf drie meter hoogte.
'Dag papa. Dag Mark. Lukt het een beetje?'
'Het gaat fantastisch! Wat een act! We komen alleen cavia's tekort. Wil jij nog even een doos voor me pakken? Er staan er nog een paar in de gang. Kom op, Mark! Nu!'
Mark gooide drie diertjes de lucht in. Megs vader graaide. Het scheelde niks of hij had er een te pakken.
'Dag! Ik moet aan het werk!' riep Meg en ze liep de coulissen in.

Niet zo heel ver daarvandaan pakte een man van een jaar of veertig een ei uit een doos die zijn beste tijd gehad had. Er stond wel een datum op van uiterste houdbaarheid, maar die was niet meer te lezen.
De man had honger. Dat had hij altijd als er iets te gebeuren stond.
Hij pakte een kleine koekenpan uit de spoelbak en schoot met duim en wijsvinger de witte schimmelvlokken uit de binnenkant van het pannetje.
Vijf minuten later stond het ei op het fornuis te knetteren.
De man pakte een broodmes om het ei los te krabben, kieperde het zaakje op een boterham en snoof. Hij oefende even met zijn vingers en viel aan. Binnen een minuut was alles weg, afgezien van een klodder dooier op zijn broek.
De man met de grote handen was in een opperbeste stemming.
Hij had wat nieuws geprobeerd en niet zonder succes.
Het ging zelfs sneller dan anders.
Normaal gingen er toch algauw vijf, zes sessies overheen voor hij beet had. Het leek erop dat hij nu minder lang hoefde te wachten. En wachten, daar had hij een hekel aan. Want als je iets wilde, als je ergens heel veel zin in had, ja, dan wilde je niet wachten.

Misschien nog één keer. Hooguit twee. Hij zou wel zien, vanavond.
De man met de grote handen had nog steeds honger.
In de tuin liep een poes. De man glimlachte. Hij was een echte dierenliefhebber.

10

Er was niks mis met de doorgebakken bieflapjes en ook niet met de bloemkool die onder de witte saus zat.
Megs moeder had twee theelichtjes aangestoken en dat gaf best een gezellig effect. Met zijn drieën op zaterdagavond rond de bloemkool en de theelichtjes: er zijn mensen die het minder hebben, besefte Meg.
Er was ook niks mis met het toetje: Haagse bluf.
Een mierzoet, tandbedervend roze goedje dat ooit door oma de Ruyter in de familie was geïntroduceerd. Meg had oma de Ruyter nooit gekend, die was vrij jong overleden. Of er enig verband was met haar Haagse bluf wist Meg niet.
Er was ook niks mis met het gesprek na het toetje. Megs vader vertelde enthousiast over zijn vorderingen met de cavia's. Haar moeder over het Noorderplantsoen. Meg over de nieuwe zwaai over het podium.
Maar toch. Meg wilde naar boven. Naar de pc. Naar de chatroom.
Ze wachtte op de bel, op Mark.
'Mag ik van tafel?'
'Wat kijk je vies,' zei haar moeder.
'Beetje zoet. Mag ik naar boven? Mark komt zo. Computeren en zo.'
'Net nu het gezellig wordt. Nou, ga dan maar. Wil je straks thee?'
Meg hoorde het niet meer. In vier sprongen was ze boven. Opstarten, homepage, chatbox. Zo.
De bel ging.

<pacman> *heb je er nog over nagedacht, Wuftie?*
<wuftie> *waarover?*
Mark stak zijn duim op.
<pacman> *dat we elkaar ergens ontmoeten*
<wuftie> *Oh dat. Ik weet het niet. Ze zeggen dat je daar niet aan moet beginnen. Is link*
<pacman> *Ze hebben gelijk. Maar misschien is het nu anders. Bovendien, weet je hoeveel afspraakjes er worden gemaakt via de box? Duizenden. En hoe vaak gaat het anders dan je verwacht? Hooguit een enkele keer. Dus die verhalen zijn wel een beetje opgeblazen*
<wuftie> *misschien heb je gelijk*
Mark stak weer zijn duim op.
<pacman> *maar je moet het alleen doen als je me vertrouwt hoor*
<wuftie> *ja natuurlijk*
<pacman> *even limo halen, kben zo terug. Nie weggaan*
Hij deed het weer.
Hij was het.
Was het hem?
'Gaat goed, Meg,' zei Mark. 'Hou hem even aan het lijntje. We moeten nog iets meer van hem te weten komen.'
'Ik zal nog wat aarzelen.'
Meg haalde diep adem. Even nieuwe moed verzamelen.
<pacman> *dawuf, ben ik weer*
Dawuf!
Hij was het, geen twijfel mogelijk!
Meg greep Marks arm en kneep er hard in.
'Hij is het! Hij is het!'
'Sst, straks hoort hij je. Ja, hij moet het zijn. Laat die afspraak maar komen. Hij is de lul.'
<pacman> *ben je er nog?*
<wuftie> *ja hoor*
<pacman> *en? Zulle we?*
<wuftie> *als je belooft dat je bent die je bent*
<pacman> *beloofd. Waar woon je? Waar zulle we?*

<wuftie> *even denken. Ik ben over drie minuten terug*
'Wat zal ik zeggen? Het moet een andere plek zijn dan de vorige keer, anders stinkt hij er niet in.'
'Nee. Een andere stad in de buurt. Maakt niet uit. Als het maar ergens anders is.'
'Ik weet wel wat.'
Zeven minuten later had Wuftie een date in een parkje op twaalf kilometer van haar woonhuis. Ze kende de buurt, om de hoek woonde tante Zus. Zaterdagavond om negen uur werd ze verwacht.
Dawuf zei de man weer.
En ((wuftie)).
Het was afgelopen met die zak.

Omdat het pas negen uur was, had Mark gevraagd of ze zin had om nog even mee te gaan naar *De Wekker*. Een bruine kroeg waar hij vaker kwam. Te vaak, zei hij.
'Als het van je vader mag, dan vind ik het goed,' zei Megs moeder.
Dus liep ze naar haar vaders oefenruimte. De man zweette hevig, hij had een been in zijn nek gelegd. Dat ging hem vroeger heel gemakkelijk af.
'Fijn dat je er bent, Meg. Help me even, wil je, ik kom niet los. Het is net of ik stijver word, heel gek.'
Meg hielp en vroeg of ze met Mark mee mocht.
'Als het niet van je moeder mag, dan vind ik het ook niet goed,' zei hij. 'We trekken één lijn in die dingen, dat weet je.'
'Mama zei niet dat ze het niet goedvindt,' zei Meg.
'Oh, dan vind ik het best. Nogmaals, we vinden het heel belangrijk om één lijn te trekken.'
'Weet ik, papa. Dag, tot straks.'
'Dag lieverd. Heeft mama nog gezegd hoe laat je thuis moet zijn?'
'Nee, daar heeft ze het niet over gehad.'

'Nou, dan ik ook niet. Eén lijn. Dat is heel belangrijk.'
En dus zaten ze nu aan een tafeltje in de donkerste hoek van *De Wekker*. Nou zei dat niet zoveel, want de hele tent baadde in het donker. Goed, er waren wat peertjes van een paar watt en op elk tafeltje stond een kaars, maar van verlichting kon je niet spreken. Als je in de grote spiegel keek, wist je niet of jij het wel was.
Mark had een bier voor zich en er zat schuim op zijn bovenlip.
Meg dronk een breezer.
Het was druk in het café. Er waren een paar jongens aan het dobbelen aan de bar. Meg schrok telkens van de klap van de bekers op de toog.
Aan het tafeltje naast hen zaten een vrouw en een man van een jaar of vijftig. De vrouw hield zijn beide handen vast en boog voorover en praatte en praatte en praatte. Ze was niet te stoppen. Meg ving op dat ze er een eind aan wilde maken, maar waaraan of aan wie, dat wist alleen de man.
Er kwam blues uit de luidsprekers.
'Dit is een bluescafé,' zei Mark.
'Oh, vandaar, ik dacht al,' zei Meg.
'Gaan we katten? Ik dacht: kom, ik zeg wat, en dan ga jij me een beetje...'
Meg lachte.
'Het is dat je ogen een beetje licht geven,' zei Mark, 'maar verder is het net of je opgaat in de schemer hier. Of je een schutkleur hebt.'
'Heb ik ook. Ik ben een echte Bloemhard.'
'Zijn alle Bloemhards zo bruin?'
'De helft.'
'Meg?'
'Ja?'
'Ik vind het... eh...'
'Ja, ik ook.'
'We moeten het over zaterdag hebben. Een plan maken. We moe-

ten naar de politie met ons verhaal. We moeten nakaarten, er is vanavond nogal wat gebeurd.'
'Zo is het, ja.'
'De val is gezet. We zouden moeten praten over de komende dagen. Er is nog zoveel te overleggen.'
'Klopt helemaal.'
'We zijn allebei opgewonden over dat gesprek met die klootzak. Daar moeten we het over hebben.'
'Absoluut.'
'Maar ik heb er even geen zin in,' zei Mark.
'Helemaal, maar dan ook helemaal geen zin heb ik erin,' zei Meg. Ze lachte.
'Volgens mij lach je,' zei Mark. 'Je ogen worden ineens kleiner.'
'Jouw ogen worden juist groter, lijkt het. In ieder geval je mond.'
'Ja, die kan er ook nog wel bij. Ik weet dat ik een eh... geprononceerde eh... tamelijk uitgesproken eh... mond heb.'
'Grote mond. Je bedoelt: een grote mond. Zit er niet zo omheen te draaien.' Meg lachte nog steeds.
'Goed. Wat ben je lekker direct, zeg, vanavond.' Mark lachte niet. Die opmerking kwam een beetje aan. Wat ben ik hier aan het doen? dacht Meg. Zit ik eens een keer met een leuke jongen in een café, zit ik hem te stangen. Mark, nota bene, die me helpt. Mark, met zijn lach en zijn mond en zijn ogen.
'Wuftie,' zei ze. 'Het komt door Wuftie. Ze neemt het over. Komt door vanavond. Sorry.'
'Geeft niet. Misschien een vleugje meer Troetel, zo heet ze toch? Maar Meg is ook goed, hoor.'
Meg gaf een klap op haar linkerwang. 'Nou even dimmen, Wuf. Zo. Klaar. Waar hadden we het over?'
'Nergens over,' zei Mark.
'Goed zo. Vind ik ook wel een mooi onderwerp.'
En zo hadden ze het een kwartier nergens over, namen ze slokjes van hun drankje en keken ze elkaar vaker aan dan de man en de vrouw aan het andere tafeltje.

Toen pakte Mark haar rechterhand.
Eindelijk.
Hij deed er niks mee en liet hem weer los.
Dan doe ik het, dacht Meg. Ze pakte zijn linkerhand. En ze pakte zijn rechterhand. Met haar duimen wreef ze zachtjes over de rug van zijn handen. 'Mark?'
'Eh... ja?'
'We... ik... we...'
'Mm?'
'We zitten precies zoals die mensen naast ons. Niet kijken! Wil je even iets serieus zeggen, er komt een enorme slappe lach op.'
Meg fluisterde, maar omdat het in haar buik begon te schokken, klonken sommige woorden een beetje te hard. 'Kijken... serieus... enorme slappe...' Het was niet tegen te houden.
De vrouw rechts keek bozig opzij.
'Zeg Meg? Of mag ik Troetel zeggen?'
'Troetel is goed.'
Dit was Troetel, laten we wel wezen, dacht Meg. Beetje de handen pakken van een jongen in een bruine kroeg, dat had Meg nog niet gepresteerd. Beetje lachen, beetje jennen.
'Zit je me een beetje verliefd te maken?'
'Welnee. Ik zit gewoon je handen te aaien. Als je het vervelend vindt, moet je het zeggen. Dan aai ik wel wat anders. Je been of zo. Of mezelf, daar hebben ik en mezelf allebei plezier van.'
Kalm aan, Troetel.
'Ik vind het niet vervelend. Juist lekker. Maar daardoor krijg ik weer zin om iets bij jou te doen. En als ik dat doe, dan begin jij misschien... en dan wil ik bij jou... snap je?'
'Tuurlijk. Leuk, hè?'
'Meg, ik ben vijf jaar ouder dan jij!'
'Ja, het verschil is inderdaad niet groot.'
'Even geen grappen! Ik bedoel...'
De vrouw rechts stopte met praten en keek verstoord opzij. Ze liet de handen van de man los, ging rechtop zitten en snoof.

'Ja, ik weet wat je bedoelt. Jij mag stemmen en ik nog niet, zoiets?'
'Eh... ja, zoiets.'
'Verder nog wat?'
'Ja, ik heb zin om je te zoenen.'
'Zo, die gaat snel.'
'Sorry, dat komt... ik zei al...'
'Kom hier. Beetje dichterbij nog, ik kan er niet bij,' fluisterde Meg.
Ze zoenden.
Mark was voorzichtig, hij begon zachtjes. Het was meer aaien met zijn lippen dan zoenen. Een poosje later duwde hij een heel klein beetje. Toen vond Meg het hoog tijd om het over te nemen. Ze ging er vol in. Voor ze het wist, voelde ze niets anders meer dan haar mond en die van Mark, daar had ze al haar aandacht en hersens en gevoel samengebracht. Er was even niets anders dan lippen, zachte lippen, lippen en lippen.
Even schrok ze, er kwam het puntje van een tong bij. En iets meer dan één puntje, want ze had er zelf ook een.
En voor je het weet zit je dan dus in een bluescafé te tongen.
Meg voelde een hand op haar dijbeen. Een moment was ze afgeleid en twijfelde ze of die hand daar wel mocht zijn. Maar toen die zachtjes begon te aaien, was dat over. Aai maar, zei haar been.
Omdat ze nu toch haar handen vrij had, pakte Meg Marks arm. Haar andere hand kwam ergens bij zijn buik terecht. Wat ze met haar vingers deed, wist ze niet, het zoenen nam haar geheel in beslag.
Zo ging het een poosje verder, hoe lang het duurde wist ze niet. Wel dat het warm, heftig en lekker was.
Toen voelde ze een klopje op haar schouder en werd ze wakker.
'Dit is een café, jongedame,' zei iemand.
Meg liet alles los en keek op. Voor haar stond een grote man met een snor waarvan de uiteinden naar boven waren gekruld.
Ze kende de man. Hij stond net nog achter de bar.

'Hoe heet je, meisje?'
'Troetel,' zei Meg. Ze had het gevoel dat ze bloosde tot aan haar navel.
'Ik vind het leuk dat jullie mekaar aardig vinden,' zei de barkeeper, 'maar er zitten hier een paar chagrijnen die jaloers van jullie worden. Misschien moeten jullie een geschiktere locatie opzoeken. Hup, Mark, wegwezen! Zit je tijd hier niet te verdoen!'
Het was geen kleine knipoog die de man gaf.
Meg ging rechtop zitten en keek naar een bierviltje op de tafel. Ze hoopte dat Mark iets zou zeggen. Ze had gezien dat hij een beetje zweette.
'Sorry, Joost. Het ging even zoals het gaat.'
Maar Joost was allang weer weg.
'Wat vind je, Meg? Beetje lopen? Nergens heen en weer terug?'
'Goed. Ik schaam me rot. Wegwezen, hier.' Ze was weer helemaal Meg.
Ze stonden op en liepen naar de deur.
'Gottegottegot,' zei de vrouw van het andere tafeltje. Ze keek naar het plafond en snoof. 'Gottegottegot. Niet te geloven.' Maar dat hoorde alleen de man tegenover haar.

Het was puur toeval dat er om de hoek een klein plantsoentje was met paadjes tussen de struiken door en een bankje ergens achteraan. Het groene eilandje was ingeklemd tussen een paar gebouwen van de universiteit. En het was ook puur toeval dat het gebouw vanavond verlaten was en dat dus alle lichten uit waren. Op zo'n bankje kun je dan dingen doen die in de kroeg niet kunnen.
Een bankje is veel breder dan een stoel, bijvoorbeeld. Dus je kunt dichter bij elkaar zitten.
Dat deden Meg en Mark.
Je kunt ook verder uit elkaar gaan zitten, dan hebben je armen meer armslag.
Dat deden Meg en Mark.

Je kunt er ook op liggen.
Dat... inderdaad.
Er is ook vaak gras naast een bankje. Zacht en warm gras.
Ja, dat deden ze ook.
En dan heb je ruimte en stilte en de tijd.
Om hoe lief en hoe mooi en hoe lekker.
Een kwartier duurt een uur en een uur een kwartier.
Je hoeft niet te kijken want het is donker. Maar je kijkt toch en je ziet wat je wilt zien.
En je hebt samen veel meer dan vier handen en twintig vingers, veel meer dan vier benen. En kleren, ach, wat hindert het.
Soms gaat er iets fout, er ontsnapt een verkeerd geluidje, een vinger blijft haken. Even lachen. Even maar, want het gaat verder.
Verder, steeds verder.
Warmer en warmer.
Net zolang tot het goed is, genoeg, rust, stilte en lekker niks.
Dan lig je daar met je open ogen niets te zien en alleen wat na te voelen.
Tot je het na een poosje een beetje koud vindt en kippenvel krijgt.

De straatverlichting was al uit en het regende zachtjes.
Een politieauto reed stapvoets door de straat. Soms stopte hij even. Dan scheen het licht van een zaklantaarn door het geopende portierraam. Het was gericht op een halfopen deur, een vuilnisbak of een fiets die op de stoep lag. Het was kennelijk de moeite niet waard, want er stapte niemand uit.
Toen was de straat weer verlaten. Voor even.
Er kwam een hond de hoek om. Een grijze schurftige oude hond. De hond had een vrouw aan de lijn. Ze liep een beetje scheef, met haar linkerbeen nam ze grotere stappen dan met haar rechter. Ze had een kapotte paraplu bij zich en ze was nog grijzer dan de hond. Halverwege de straat keerde de hond om en trok de vrouw mee.

Na twee minuten was het weer stil op straat.
Vrijwel stil.
Er zat een kat in de oude winkelkar. Hij likte zich en keek elke tien seconden om zich heen. Je wist maar nooit op dit uur.
In bijna alle kleine woningen was het donker. Zelfs de student was al naar bed.
Alleen in het huis aan het eind van het rijtje brandde nog licht. Dat kwam door twee beeldschermen die aanstonden.
In de woonkamer van het huisje was verder niet veel te beleven. De draaistoel was leeg. Op de tafel stonden een bord en een pan. In de pan zat een restje onduidelijke grijze prut. Op het bord lagen wat afgekloven botjes.
Er gebeurde weinig in de kamer, maar toch was het er niet stil. Dat kwam door de man die in een hoek van de kamer op zijn bed lag. Hij snurkte. En niet zachtjes.
Soms maakte hij twintig seconden geen geluid, dan leek het of hij dood was. Maar plotseling knalde het eruit, met een kreet en gerochel en dan vlogen er wat kleine druppeltjes door de ruimte. Daarna hijgde de man en snurkte verder.
Tot hij weer twintig seconden stopte met ademen.
Zo ging het al een uur.
De man had zijn schoenen nog aan. Op zijn mouw zat opgedroogd grijs voedsel. Ook op zijn vingers zaten korstjes.
Soms maakte zijn mond een rare beweging. Een lip trok omhoog tot zijn tanden bloot kwamen. Die zagen er niet gezond uit.
Naast hem op de grond lag een briefje. Er stonden maar twee regels op.
'Zaterdagavond 9 uur, BINGO!
Niet vergeten handschoenen mee te nemen'

11

Het kwam Meg goed uit dat ze vrijdagochtend vrij had.
Nu had ze kunnen uitslapen. Dat was hard nodig, ze had de laatste nachten geen oog dichtgedaan. Belangrijker was, dat ze geen tijd had gehad om na te denken en na te voelen. De afgelopen tijd was ingeslagen.
Meg draaide er een beetje koud bij, ze werd suf. Ze stond nu een kwartier onder de douche en was vast van plan het uur vol te maken.
Het maalde maar door in haar hoofd. En ook nog alles door elkaar heen.
De klootzak die haar te grazen had genomen, het was nog lang niet weg. Het gechat waarbij ze hem in de val hadden gelokt. Dat was mooi, maar ook beangstigend. Diep in haar hoofd wilde ze het liefst alles terugdraaien of, als dat zou kunnen, vergeten.
En dan de uren daarna.
Mark.
Ze zeggen wel eens dat je je niet hoeft af te vragen of je verliefd bent. Als je het bent, weet je het en als je het niet weet, ben je het niet.
Maar daar klopte geen zak van.
Veel te simpel.
Het was nu een paar dagen later en ze had inmiddels drie keer zeker geweten dat ze verliefd was en minstens twee keer wist ze dat het niet zo was. Dat kon dus per kwartier veranderen.
Sterker nog.
Ze had het een paar keer tegelijkertijd.
Dan dacht ze, of liever, voelde ze JA! Zo'n opgewonden raar ge-

voel waarbij je niet kunt blijven zitten omdat alles er anders uitziet dan normaal en je geen geduld hebt. Een gevoel van spanning en gevaar en ook een beetje wee in je buik. Ja, daar hoef je niet omheen te draaien. Maar dan tegelijk de gedachte, de zekerheid van nee, dat kan niet, dat is niks, dat wordt niks.
Maar dat was nog niet alles, het kon nog ingewikkelder.
Meg dacht: wil ik dit wel?
Was ik Wuftie, zaterdagavond? Af en toe, zonder twijfel. Ze ging in de versnelling, zeker nadat het bankje te klein werd. Mocht dat? Meg was er niet zeker van. Wuftie was van harte welkom als ze zat te chatten. Maar Meg twijfelde of ze haar ook in het echte leven moest toelaten.
Troetel? Die was gewoon verliefd. Die hield niet van nadenken, die dééd gewoon. Beetje lachen en genieten. Daar was niks verkeerds aan.
En dan zat Meg er dus weer doorheen te denken en te twijfelen, daar kwam je niet uit.
Meg draaide de warme kraan wat verder open.
Wat een geneuzel.
Ze was Meg. En zij was de baas.
Misschien was het tijd om te stoppen met die grap, moest ze haar andere kanten de mond snoeren, ze andere namen geven of alleen Meg proberen te zijn.
Maar ja, dan mis je weer een hoop.
Even ophouden nu, het wordt alleen maar erger.
De politie, dat was me ook wat.
Ze was met Mark bij de politie geweest en die vonden het een interessant verhaal. Complimenten! Tjonge, wat hebben jullie dat knap gedaan! Mooi recherchewerk! Maar ja, hard bewijs is er niet. En we hebben te weinig personeel om overal heen te gaan. Sorry.
Uiteindelijk, na veel gepraat, hadden ze gezegd dat er mogelijk een kans was om de man aan te houden. Er waren, dat moest gezegd, toch wel een paar serieuze aanwijzingen. Wat Meg was

overkomen, was de laatste tijd vaker gebeurd. Het kon zijn dat er een verband bestond, zoiets zeiden ze.
Twee man zouden er meegaan, zaterdagavond.
En Meg moest mee, anders had het geen zin. Ze moest hem identificeren. De foto was niet genoeg. 'Als je hem herkent, dan pakken we hem op,' had de politie gezegd.
'Moet ik daar dan als lokaas gaan rondlopen?'
'Nou nee, dat is veel te gevaarlijk. Je blijft in de auto zitten. Een onopvallende auto. Die zetten we in de buurt van de ontmoetingsplaats.'
In de gang kwamen ze de jonge politieman nog tegen.
'Ha, jullie ken ik. Sorry dat ik niks voor jullie kon doen. Jammer maar helaas.'
Meg draaide zich om. Iets meer koud erbij, ze was bijna gestoofd. En verder moest ze naar haar ouders, dat was nog het moeilijkste. De politie zou niks doen als haar ouders niet akkoord waren. Dat was nog een lastig gesprek, gistermiddag. Het liefst had Meg ze erbuiten gehouden. Waarom eigenlijk?
Moeilijk.
Meg stond nu een halfuur onder de douche en was nog niet klaar. Haar ouders mochten het wel weten, maar dan moest ze ook alles uitleggen. En verdedigen. En verklaren. En ze kon niet alles uitleggen en verklaren. En dan werden ze ongerust en moest ze nog meer praten en uitleggen en dan werd het alleen maar erger, zoiets.
En papa was met iets belangrijks bezig, die moest zijn kop erbij houden.
Mama was met niets belangrijks bezig en het leek Meg verstandig dat ze daar niet bij werd afgeleid.
Maar het moest.
Haar vader had sinds weken niet geweten wat hij moest zeggen. Haar moeder schudde onafgebroken zachtjes met haar hoofd. Eigenlijk schudde haar hele lichaam van 'nee'. Maar ook zij zei niets.

Toen de politie was uitgepraat, zag Megs vader er grauw en oud uit. Hij wreef zachtjes met zijn hand over zijn hoofd.
'Moet het echt?' fluisterde hij.
'Nee, het hoeft niet. Maar als we die vent willen oppakken, dan is er geen keus. Alleen als uw dochter hem herkent, hebben we een zaak. Anders laat justitie hem weer lopen.'
'En Meg blijft in de auto zitten?'
'Absoluut. De vent is gehaaid, we nemen geen enkel risico. Wel, wat vindt u?'
'Ja, dan moet het maar. Als jij er tenminste op staat, Meg. En als jij akkoord gaat, Karin.'
Het hoofd van Megs moeder bewoog nog steeds een beetje heen en weer. Toen leek het of ze zichzelf een duwtje gaf. Ze ging rechtop zitten, kuchte even, keek Meg aan, haar man en tenslotte de politieman. Het was rood en vochtig rond haar ogen.
'Grijp die klootzak,' zei ze met een opvallend vaste stem. 'Meg, let goed op en kom niet uit die auto. Ik vind je al een dappere meid, dapperder hoeft niet. En u meneer,' Megs moeder wees naar de borst van de politieman, 'u sluit hem op.'
Het was een paar seconden stil in de kamer. Meg wreef over de rug van haar moeder. Megs vader keek even opzij en deed of hij moest snuiten.
Zo was het gegaan en Meg was nog steeds verbaasd over haar moeder.
Beetje meer warm erbij.
Lekker.
Weer even omdraaien. De teller stond nu op drie kwartier, schatte ze. Morgenavond om zeven uur moest ze op het bureau zijn. Haar vader zou meegaan.
En Mark.
Mark had nog gebeld, gisteren. Kort, maar lief. Veel meer dan 'ik heb al driehonderdzeventien keer teruggedacht aan zaterdagavond' had hij niet gezegd. 'Al?' had ze geantwoord. Nog een beetje lachen en dat was het. Kort, maar genoeg.

Meg draaide de kranen dicht. Ze had honger.
Op haar kamer zocht ze haar lekkerste kleren. Ze pakte ze uit de kast en legde ze op een stoel. Die waren voor morgen. Maar deze waren ook goed.
Toen Meg beneden kwam, zat haar moeder aan de keukentafel. Ze had een gele beker voor zich, een souvenir uit Portugal. De beker was halfvol koffie.
'Goedemorgen mama,' zei Meg. 'Nee, dank je, ik hoef geen koffie. Mwah, een toostje, lekker ja. En de jus maak ik zelf wel even. Waar is papa?'
'Die zit op het terras. Ik wilde hem niet binnen hebben met dat gedoe met de melk.'
'Melk?'
'Ja, melk. Je weet toch dat hij nog een kwartier te vullen had? Dat hij nog een paar acts tekortkwam?'
'Wist ik niet.'
'Ja. En nou is hij naar buiten met een anderhalveliterpak melk.'
'Melk.'
'Ja, halfvolle.'
Meg draaide een rondje met haar wijsvinger, naast haar slaap.
'Het moest eigenlijk met yoghurt, zei hij, maar dat hebben we niet in huis. Dan maar melk, zei hij.' Megs moeder haalde haar schouders op.
'En wat is hij dan met die melk aan het doen op het terras?'
'Weet ik veel. En wat hij met die bolhoed moet, weet ik ook niet.'
'Mm. Jij nog een toostje?'
'Alsjeblieft niet, kind. Ik heb er al vier op. En één of twee lange vingers. Drie. En straks weer lunchen met broodjes en melk.'
'Alleen met broodjes,' zei Meg.
Haar vader kwam juist binnen. 'Dweil! Handdoeken! Kranten! Ongelukje!' riep hij. Hij was slecht te verstaan, want er liep nogal wat vocht langs zijn neus in zijn mond. Heel even blies hij een doorzichtige witte bel, maar dat was per ongeluk. Hij had een

bolhoed op. Die was zwart. Voor de rest was hij gekleed in diverse tinten grijs, gebroken wit en melkwit.
'Je lekt,' zei zijn vrouw.
'Ja, vind je het gek. Stomme truc. De yoghurt hoort via het slangetje in je nek afgevoerd te worden. Mooi niet dus.'
'Het was halfvolle melk, lieverd.'
'Dat moet het geweest zijn,' zei Megs vader blijmoedig. Hij pinkte wat melk uit zijn rechteroog. 'En hoe is het met jou vandaag, Meg?'

'Dreiwechsel,' zei de man. 'Jurjen Dreiwechsel.'
'Ah, Duits?' vroeg Megs vader.
'Fries,' zei de man. 'Mijn vader komt uit de Galhoek, niet ver van Drachten.'
'Wat een toeval,' zei Megs vader. 'Mijn grootmoeder komt uit Stroopuit in Zeeland. Wat is de wereld toch klein. Aangenaam. Peter Bloemhard.'
De politieman nam de uitgestoken hand aan. 'Ik heb de leiding van de operatie van vanavond,' zei inspecteur Dreiwechsel. 'En dit is mijn assistent Klapman.'
'Bloemhard,' zei Megs vader. 'Hoe maakt u het?'
Meg kende de assistent.
'Klapman. Teun Klapman. Ik ben ingehuurd om je te steunen en te helpen, Meg. Het zal een dekselse klus worden, maar we gaan voor goud, vanavond. We zullen tot het gaatje moeten gaan, want onze man is om de bliksem niet op zijn achterhoofd gevallen. Jammer maar helaas.'
'Ik ben Mark,' zei Mark. Hij stond naast Meg.
'Dag Mark, fijn dat je erbij bent,' zei Klapman. 'Heel goed dat jullie als familie achter Meg staan.'
Mark liet het maar zo.
'Mensen, luister.' Dreiwechsel draaide even aan zijn snor. 'We rijden straks met twee auto's naar de ontmoetingsplaats. Klapman en ik hebben inmiddels wat voorwerk verricht en onze ob-

servatieposten uitgezocht. Ik zal mij – uiteraard in burgerkostuum – onopvallend in de buurt ophouden. Dat betekent dat ik me achter een boom begeef, dan weer een ommetje maak via de toegangswegen en ook een korte wandeling door het park zal maken met onze diensthond. Alleen Meg en Klapman zullen in de buurt zijn. Ik wil haar uitdrukkelijk verzoeken niet te groeten, als ik langskom. Afgesproken, Meg?'
Meg had even het gevoel dat ze in een tekenfilm terecht was gekomen. Moest deze keutel het gaan doen? Een aardige man, misschien, maar dat leek haar toch niet genoeg.
'En ik zal je gezelschap houden in de auto,' zei Klapman. 'We staan op een plek midden in het parkje, te midden van andere auto's. Een ideale plek om alles te observeren. Het is een wagen met donker glas. Dus jij kunt iedereen zien, maar niemand jou.'
'Die man vertoont zich niet op de afgesproken plek,' zei Meg. 'Hij zoekt een plek op in de buurt. Daar waar hij niet gezien wordt. Hij probeert het meisje voor te zijn.'
'Zo is het,' zei inspecteur Dreiwechsel. 'Daarom ben ik er.'

Het was tien voor negen en het leek wel of het al donker werd. De lucht was grijs met hier en daar zwarte wolken die voorbijdreven. Het was droog, maar lang kon dat niet meer duren. In de verte waren slierten regen te zien. Hoosbuien die zich snel verplaatsten. Af en toe een windstoot die je via de toppen van de bomen kon horen aankomen.
Het was maar een klein park. Hooguit honderd meter in doorsnee. Als je de straat uit kwam, kon je in één oogopslag het hele terrein overzien.
Dwars door het parkje liep een smalle weg. Links en rechts een klein grasveld met een paar bankjes en dat was alles.
De geblindeerde auto stond langs de smalle weg, net waar het gras begon.
Het was rustig in deze uithoek van de stad. Twee mensen lieten

hun hond uit, groetten elkaar en liepen verder, de straat in en de hoek om.
Verder was er niemand.
Een rukwind raasde door een kastanje.

De man dook weg in de omhoogstaande kraag van zijn leren jasje.
Het was een opvallend jasje. De voor- en achterkant waren bezaaid met donkerbruine vettige vlekken. En het jasje leek vol te zitten met zakken. Zeker zes aan de voorkant, met grote zilverkleurige ritsen.
De handen van de man waren niet te zien. Hij had ze in twee steekzakken gestoken, hoewel die nauwelijks groot genoeg waren.
De man had een vieze smaak in zijn mond, maar dat had hij al jaren. Hij spuugde. Wat zijn mond verliet werd door de wind meegenomen en bleef zitten op een etalageruit.
Hij had haast.
Normaal nam hij een halfuur de tijd om de omgeving te observeren, mogelijke schuilplaatsen te verkennen, stille en verborgen plekken te vinden en een ontsnappingsroute te zoeken voor noodgevallen. Hij was een nauwgezet man die geen risico's nam. Maar nu had hij nog maar vijf minuten. Krap, maar hij had geen keus.
De man bleef staan in een portiek en keek uit over het plantsoen. Het was geen geweldige locatie, bij nader inzien. Weinig groen, weinig bosjes, een enkele boom. Het overzicht was wel optimaal.
Hij trok zich nog iets verder terug in de portiek.
Het plantsoen was verlaten, op een enkele geparkeerde auto na, aan de overkant.
De man spuugde weer.

Eén minuut voor negen.
Het schemerde nu echt. Maar alles zag er ook een stuk donkerder uit vanwege de getinte ramen, bedacht Meg.

Ze zat achterin en had een goed zicht op het parkje.
Niets te zien.
Af en toe schudde de auto een beetje door een windstoot.
Niets. Bijna niets.
Links kwam een jongen de straat uit en stak over in de richting van het bankje midden op het grasveld. Hij had geen haast. In de buurt van de bank vertraagde hij zijn pas tot slentergang. Even later stond hij stil. Hij ging niet op het bankje zitten, hij leunde ertegenaan, met zijn armen over elkaar.
Hij keek naar links. Toen naar rechts. Hij tuurde. Even later draaide hij zich om en keek hij weer om zich heen.
Meg zag dat hij iets in zijn hand had. Hij zwaaide er even mee en ze kon zien wat het was.
Een roos.
De jongen was een jaar of zestien en had bruine krullen. Hij had een groene fleecetrui aan. Op zijn rug stond iets in grote gele letters. Toen hij een kwartslag draaide kon Meg het lezen.
'PACMAN' stond er.

Negen uur.
De man in de portiek werd onrustig. Ze waren nooit te laat, eerder te vroeg. Altijd nerveus, altijd gretig waren ze. En dan kom je niet te laat.
Een wit jasje zou ze aandoen. Dan zou hij haar kunnen herkennen. Onzinnige afspraak natuurlijk, hij herkende ze blind. Leer hem jonge meisjes kennen. Tuttig gedraal en gedrentel, altijd prijs. Soms wat angstig onder dekking van een boom, maar meestal gewoon op de plek van afspraak.
Het plantsoen was uitgestorven.
Om drie over negen vloekte de man. En nog een keer.
'Stom verwend rotkind,' mompelde de man met de grote handen.
Even overwoog hij het op te geven. Zat hij zijn tijd hier te verdoen in die kloteportiek bij dat godvergeten plantsoen. Hij had

wel wat beters te doen. Thuis had hij nog een paar veelbelovende contactjes op zijn scherm, het was misschien beter om vanavond aan het werk te gaan.
Hij keek om de hoek.
Niets.
Maar ja, stel dat het meisje, ja, dat kon, gewoon te laat was. Dat ze zo zou komen. En dan was hij dus inmiddels weg en was al zijn moeite voor niets geweest. Het eindeloze opbouwen van het contact, het winnen van het vertrouwen, het flirten en de verlegenheid acteren, het charmeren en weer afstand nemen, het hele verschrikkelijk tijdrovende energieverslindende klotegedoe voor je zo'n jong miepje eindelijk in de buurt had. Zou ook zonde zijn.
Nog even dan.
De man keek om de hoek.
Er kwam iemand uit de straat aan de overkant.
Ze had een wit jasje aan.
De man was onmiddellijk wakker. Hij trok zich iets verder terug in de portiek.
Op nog geen twintig meter van hem vandaan bleef ze staan, aan de rand van het plantsoen. Het witte jasje stond haar elegant. Ze had schoenen aan met hakjes en een korte rok. Ze keek om zich heen en glimlachte verwachtingsvol.
Vanwege een grote zonnebril waren haar ogen niet te zien.
Haar grijzende haar bewoog in de wind.

12

Het was zondagochtend halfelf. De wind was gaan liggen en er scheen een waterig zonnetje. Het was te warm voor een jas en te koud voor zonder jas.
Meg had nog niet ontbeten.
Geen honger.
Ze had ook bijna niet geslapen vannacht.
Meg fietste de stad uit. Ze wilde naar de Koningslaagte, waar ze eeuwen geleden op een bankje had gezeten en een jongen was tegengekomen die maar acht jaar was geworden en waar een geit blij was dat ze er was.
En waar ze toen tot rust kwam.
Er was weinig verkeer, en al helemaal niet op het dijkje dat naar de oude toren leidde. Meg neuriede niet, ze floot niet, ze zong niet.
Ze dacht na. Nou ja, dat deed ze niet met opzet, het ging een beetje buiten haar om, ze had er geen vat op.
Vooral die afgang van gisteravond spookte door haar hoofd. Volkomen voor joker had ze gestaan. Honderd procent zeker was ze geweest dat ze beet hadden. Hij voldeed toch aan alle voorwaarden? Hij had toch alle kenmerken? Een kans van één op een miljoen dat er nog zo iemand rondloopt, hadden Mark en zij uitgerekend. En juist met hem had ze dus een afspraak gemaakt. Met die jongen had Wuftie het spel gespeeld. Onmogelijk, maar waar. Bizar.
Pas nu voelde ze een beetje medelijden. De knul was eringestonken, ze had hem verleid en een leuke date beloofd. Van een illusie beroofd. Hij zou zo'n afspraak niet snel meer maken, wat misschien maar goed ook was, bedacht Meg.
Gênant was de afwikkeling na de totale mislukking.

Inspecteur Dreiwechsel was behoorlijk pissig geweest. Hij had een halfuur op verschillende plekken op de loer gelegen, voortdurend fluisterend contact houdend met zijn collega in de auto. Twee keer was hij uitgegleden in een plas, waardoor hij onder de modder zat. Toen hij uiteindelijk bij de auto opdook, had hij een knalrood gezicht, neusvleugels die trilden en was de keurige scheiding in zijn haar verdwenen. Meg zag opeens dat hij bijna kaal was.
Ze waren naar het bureau gereden, waar Mark en Megs vader op hen wachtten.
'Loos alarm, dus,' zei Dreiwechsel, die zich enigszins had hersteld. 'Ik had er al weinig vertrouwen in. Maar we wilden jullie theorie toch een kans geven. Al was het maar om alles uit te sluiten.'
'Het had toch gekund?' zei Mark.
'Luister, jongeman. Alles had gekund. Maar als wij voortdurend op het zogenaamde speurwerk van burgers moeten afgaan, dan zag het zwart van de politie op straat. Niet blauw, begrijp je?'
'U moet toch toegeven dat het heel onwaarschijnlijk is dat er nog iemand zit te chatten die zich precies hetzelfde gedraagt als die vent?' had Mark nog geprobeerd.
'Ik zit mijn tijd hier te verdoen. Er ligt nog genoeg werk op me te wachten. Dingen die wél zinvol zijn. Goedenavond.'
'Is er nog iets dat u kunt doen?' had Megs vader gevraagd.
'Ja, u naar de deur begeleiden. En het meisje kan zeker iets doen. Nooit meer afspraken maken via de computer.'
Klapman had hen naar de uitgang gebracht.
'Dag heren, dag Meg. Jammer maar helaas.'
Na een kwartier stonden ze weer op straat.
Totale afgang.
Meg fietste langzaam, anders was ze er te snel. Ze wilde pas bij het bankje zijn als haar hoofd een beetje was opgeklaard. Dus moest ze tien keer achter elkaar de film in haar hoofd afdraaien. Dan waren de scherpe en pijnlijke kantjes er misschien van af.

Die methode had haar ooit ook geholpen toen een jongen haar in de steek liet. De tiende keer is minder erg dan de eerste.
Na de dertiende voorstelling merkte Meg dat ze werd afgeleid door de omgeving. Dat was een goed teken. De schaamte en de boosheid verwaterden en begonnen op te drogen.
Meg ging wat harder fietsen. Ze was nu buiten de stad. Het grasland links stond half onder water. Er keutelden een paar zwanen rond. Tien minuten later legde ze haar fiets in het gras, vlak naast de plek waar Hans Woldring al tientallen jaren op zijn rug lag.
'Dag Hans,' zei ze.
De geit stond aan het touw of ze niet was weggeweest. Ze keek haar aan. Jammer dat geiten niet kunnen lachen, dacht Meg. Ze ging op het bankje zitten.
'Hè hè.' Dat was alles wat ze voelde en dacht.
Tien minuten was het hooguit 'hè hè'.
Maar langer hou je dat niet vol. Dan komt er toch weer iets op gang. Meg merkte dat ze de controle terug had. Dat ze haar hersens weer kon sturen. Het voelde goed.
Wat nu? Wat moest ze doen? Het erbij laten zitten?
Ze keek naar de steen van Hans. Ze keek de geit aan.
Nee.
Het was misgegaan, gisteravond, dat was waar. Maar moest je na één mislukte poging de zaak dan maar opgeven? Als het één keer fout loopt, gaat het dan altijd fout?
Onzin.
Ze zou het er straks met Mark over hebben.
Mark.
Veel tijd om te praten hadden ze niet gehad gisteravond. En maar een paar minuten om iets liefs te doen. Een korte en een lange zoen. Een hand over haar hoofd, ze voelde hem nog een beetje. Dat was het.
Meg pakte haar fiets, zwaaide naar Hans, knipoogde naar de geit en peddelde in de richting van de stad.

Op naar Het Hemeltheater. Ze had er zin in.
En ja hoor, daar kwam het. Ze moest er zelf om lachen.
'Liefduh liefduh lekkerluchtig vliegensvluchtig avondzuchtig'
Ze had geen idee waar het over ging. Waarschijnlijk nergens over.
'Liefduh liefduh duizenddingen dove oren ongeschoren
Liefduh liefduh onderbuiken samenruiken dieperduiken'
Ophouden met die flauwekul!
Maar ja, het ging vanzelf.
Meg stopte voor het rode licht, keek naar links, naar rechts en reed door.
Ze was er bijna.

De zwarte kat rolde op zijn rug en weer terug.
Hij had zijn bek open. Naast hem in de kar lagen wat graten. De vuilnisbak van de viskar om de hoek was iets minder vol dan een uur geleden.
Er zaten twee meeuwen op het dak van het oude flatgebouw. Ze keken naar de kat. En naar de graten. Om de beurt vloog er één laag over, maar de kat gaf geen kik.
Het gordijn van het kleine huis aan de overkant was gesloten.
De kat ging staan, rook nog even aan een graat, sprong uit de winkelkar en verdween in de bosjes. Geen seconde later dook de eerste meeuw naar beneden en nam in zijn vlucht een graat mee. De tweede volgde. Boven op het dak gebruikten zij de lunch.
Het was weliswaar zondag, maar achter het gordijn van het kleine huis was het niet echt rustig.
Van de twee beeldschermen stond er nog één aan. Er rolden wat korte zinnen van chatters over het beeld.
Het andere scherm deed het niet meer. Dat was niet zo gek, want de bewoner had er ruzie mee. En als je ruzie had met de bewoner, dan deed je het niet meer, zo eenvoudig was dat.
Het glas van de monitor was verbrijzeld, de inhoud ervan lag voor een deel op de grond. De bewoner had geen gereedschap nodig gehad. Hij had meer dan genoeg aan zijn onwaarschijn-

lijk grote handen. Ooit had hij uit woede een telefoonboek doormidden gescheurd.
De man was geen schreeuwer, meer een fluisteraar. Hij stampte niet als hij boos was, hij gooide niet. Zo'n type was hij niet. Hij greep, hij kneep, hij vermorzelde. De monitor was vermorzeld. De man stond naast de rotzooi en keek naar beneden. Hij zette zijn schoen op wat overgebleven elektronica en draaide met zijn voet. Het knarste.
'Zo,' fluisterde hij. 'Mij een beetje in de zeik zetten. Vuile pissebed, ik trap je plat.' De man zocht een nieuw plekje voor zijn schoen en ging verder met zijn werk.
'Jij vuile... jij achterbakse... mij een beetje...' De man liep rood aan, zijn ogen werden wat boller. Hij hoestte. 'Mij een week aan het lijntje houden, hè. Mij een beetje verleiden, hè. Net doen of je... of je...' De man pakte een snoer, keek ernaar en gaf een ruk. Hij had twee eindjes in zijn handen. Er kwam bloed uit zijn linker- en rechterpink, maar hij zag het niet. 'Mij verneuken... mij blij maken met een ouwe... een ouwe tang. Een meisje, een jong meisje, dat was de afspraak,' rochelde de man. Hij trok de kast van de monitor schijnbaar moeiteloos met zijn blote handen uit elkaar. 'Dat doe ik met meisjes die mij verneuken, begrijp je? Met meisjes die dertig jaar te oud zijn, snap je? Met alle meisjes die vals spelen, ja?' De man fluisterde, maar je kon het waarschijnlijk buiten verstaan.
De meeuwen op het dak trokken zich nergens iets van aan. Ze pikten de laatste resten van de graten. Nog één keer maakten ze een duikvlucht over het karretje, om zeker te weten of er niets meer te pikken viel. Toen verdwenen ze.
'Dit was de laatste keer dat ik er ben ingestonken, begrijp je?' De man draaide met zijn schoen een stekkertje tot gruis.
Hij hoestte even.
Toen deed zijn stem het weer.
'De volgende gaat eraan,' fluisterde hij.

13

Havana stond op het kleine podium.
Hij had zijn ene been afgedaan en tegen de muur gezet. Hij zag er moe maar tevreden uit, heel anders dan de vorige week. Toen had hij er uitgerust maar ontevreden uitgezien.
Hij stond naast een tafeltje met een stapel borden. Om hem heen kon je niet fatsoenlijk meer lopen van de scherven.
Havana wankelde niet. Zijn goede been was zo geoefend, dat het twee keer zo dik was als vroeger. Eigenlijk had hij nu twee benen in één. Goed, als je hem een duw gaf, viel hij om, maar dat gebeurde alleen een keer op straat, toen hij na een buitenvoorstelling bezig was het zaakje vast te gespen. Een oude dame was per ongeluk tegen hem aangelopen. Ze waren beiden gevallen. Achteraf moest Havana daar erg om lachen. Hij was precies bovenop haar terechtgekomen, met zijn buik op de hare, met zijn borst op haar zachte boezem en met zijn gezicht tegen dat van haar. Hij had haar spontaan een kus gegeven. De vrouw was geheel ontdaan de straat uitgelopen.
'Dag Havana,' zei Meg.
'Dag lieve kind. Dag lieve kind.'
'Hoe gaat het?' vroeg Meg.
'Heel goed. Ik ben bijna klaar. Het zit er bijna in. Het is één van mijn moeilijkste acts, maar ik denk dat ik het ga redden.'
'Fijn! Mag ik het zien?'
'Eigenlijk hoort het niet, vóór de voorstelling. Maar omdat jij het bent, vooruit. Eigenlijk hoort het niet. Let op.'
Havana pakte vijf borden van de stapel en hield ze voor zijn buik vast. Twee keer gooide hij ze alle vijf in de lucht en ving ze ook weer op.

'Even opwarmen, niet op letten. Straks gaat het beter.'
Toen begon Havana aan zijn act.
Het eerste bord ging zeker drie meter de lucht in. Toen het naar beneden kwam, tikte Havana met de zijkant van zijn hoofd ertegenaan, waardoor het bord naast hem in stukken viel. Hij keek Meg triomfantelijk aan.
Het tweede bord gooide Havana soepel onder zijn been door naar boven. Daarna wees hij ernaar met zijn wijsvinger, tot het kapot viel. Havana lachte tevreden.
Het derde en het vierde bord gooide hij tegelijk de lucht in. Ze raakten elkaar op twee meter hoogte en braken in honderd stukken. Havana deed of hij de borden wilde vangen. Hij schaterde.
'Mooi, of niet! Het ging goed! Hoe lang ik hier niet op geoefend heb!'
Havana pakte het laatste bord en gooide het omhoog. Hij maakte twee pirouettes op zijn ene been en ving het bord achter zijn rug op.
'Verdorie! Gaat het toch weer mis! Daarstraks lukte het nog! Stom bord. Stomme hand. Wil het telkens pakken, hè. Is er niet uit te slaan. Het is zo verschrikkelijk moeilijk om alles los te laten.'
'Volgens mij ging het hartstikke goed. Vier van de vijf borden!'
'Ja, ik ben best tevreden. Wat zeg ik? Ik ben best tevreden. En ik heb nog een week.' Havana hinkte naar een stoel en liet zich vallen.
Meg ging in de stoel ernaast zitten.
'Havana, is dat eigenlijk je voornaam of je achternaam?'
'Gewoon, mijn naam.'
'Hoe komen ze daarbij, Havana? Komen je voorouders uit Cuba?'
'Welnee. Zie ik er zo uit?'
'Een beetje. Rookte je vroeger grote sigaren of zo? Zoals Fidel Castro?'
'Nee hoor. Alleen kleintjes.'
'Ben je daar wel eens opgetreden?'

‘In Havana?’
‘Ja?’
‘Daar ben ik een paar keer opgetreden, ja.’
‘Oh. Daarom heet je Havana.’
‘Welnee.’
‘Heet je vader Havana?’
Daar moest Havana behoorlijk om lachen.
‘Mocht hij willen.’
‘Je moeder dan?’
Dat vond hij nog leuker. Havana sloeg zich van pret op zijn ene knie.
‘Je zit me uit te lachen,’ zei Meg.
‘Nee hoor, sorry, ik vond het zo grappig.’
‘Maar waar komt die naam dan vandaan?’ vroeg Meg.
‘Tja, niet verder vertellen. Ik heet eigenlijk Hans van Arkel. Niet verder vertellen.’
‘Hans van Arkel. Nou en?’
‘H. van A,’ fluisterde Havana.
‘Ha!’
‘Van A. Ja.’
Meg moest het even verwerken.
‘Goh.’ Het kwam er stom uit.
‘Ja.’ Havana liet een bord een driedubbele salto maken en ving het zonder te kijken op achter zijn hoofd.
‘Ik moet weg, Havana. Ik zie je straks nog wel. Succes!’
Meg liep naar het grote podium en zag dat de Roemenen ook flink waren opgeschoten. De derde man stond stevig boven op de tweede. Voor de vierde man was het onmogelijk gebleken om met de springplank boven op de derde te komen. Veel te hoog. Het kleine mannetje klom dus via zijn collega’s omhoog. Hij was halverwege toen Meg het podium op kwam.
Ze keek aan tegen de ruggen van de mannen.
‘Hallo!’ zei Meg.
De grote man beneden keek tussen zijn armen door naar achte-

ren. Dat had hij niet moeten doen. Zo'n paar centimeter gewichtsverplaatsing onderop heeft grote gevolgen voor de man een paar meter hoger. Eerst heel langzaam, toen steeds sneller viel de toren om. De nummer drie bovenop kwam zeker twee meter buiten de zachte mat terecht.
'Koika!' riep hij, toen hij opstond.
'Koika!' riep de kleine man die halverwege geweest was. Hij lag nu onder de zwaarste Roemeen.
Meg zou het liefst wegrennen. Even was ze bang dat de valpartij haar schuld was. Ze liep naar de nummer drie en wilde hem helpen met opstaan. Maar de man lachte en stond rechtop voor ze bij hem was.
'Koika!' zei ze maar weer. Het enige Roemeense woord dat ze kende.
Daar moesten de mannen weer smakelijk om lachen. Wat was er toch zo leuk aan als ze iets Roemeens probeerde? De vorige keer hadden ze er ook plezier om gehad. Kennelijk viel het goed. Waarschijnlijk had ze intuïtief de juiste toon getroffen.
De Roemenen stonden wat te strekken en te rekken.
'Koika, koika,' zei Meg zachtjes en ze keek zoals je moest kijken als je iets goed wilde maken.
De kleine Roemeen liep glimlachend naar haar toe. 'Fijn meisje,' zei hij.
Meg was perplex. De man sprak Nederlands! Tenminste, Nederlandse woorden.
'Fijn dat jij komt kijken. Fijn dat jij dag zegt. Jammer wij net bezig. Misschien jij volgende keer even eh... denken?' De man keek Meg vriendelijk vragend aan.
Meg voelde dat ze een warm hoofd kreeg. 'Eh... sorry.' Meer had ze even niet in huis.
'Is goed, is goed. En meisje?'
'Eh... ja?'
'Jij fijn meisje. Maar waarom jij zegt telkens "koika"?'
'Ik dacht... jullie... omdat jullie...'

‘Jij fijn meisje. Jij niet “koika” zeggen. Goed?’
‘Eh... goed. Waarom niet?’
‘Koika betekent...’ De kleine man keek naar zijn vrienden. Hij lachte naar hen.
‘Wat betekent “koika” dan?’ vroeg Meg.
‘Koet. Koika betekent koet. Spreek ik zo goed uit?’ De man liep hikkend van het lachen naar zijn collega’s. Die hadden het ook niet meer.
‘Dag fijn meisje,’ zei de kleine man. ‘Jij oefenen, wij oefenen. Nooit meer koika zeggen.’
Meg zei niks meer. Ze stak haar hand op, knikte, probeerde vriendelijk te kijken en wist niet hoe snel ze het grote podium moest verlaten.

Twee uur had ze geoefend en het ging fantastisch.
Van links naar rechts was leuk. Een enorme zwaai over zeker twaalf meter, van coulisse tot coulisse. Maar het leukst was de vlucht van achteren naar voren.
Mark was erin geslaagd om met een slim systeem van touwen en katrollen een zwaai te ontwerpen, die van de achterkant van het podium tot ergens boven het midden van de zaal ging. Een enorme vlucht met knetterende en flikkerende lampjes. Het was heerlijk en spannend en je vergat er alles door.
Het klopte nu allemaal. Nog een paar keer voor de zekerheid en het was klaar. Volgende week moest het gebeuren en ze had er zin in.
Na de laatste zwaai was ze naast Mark gaan zitten.
‘Ging goed, Meg,’ zei Mark. ‘We zijn klaar. Je kunt zo het toneel op. Het wordt prachtig zaterdag.’
Meg verheugde zich erop.
Maar hoe leuk het ook was allemaal, er knaagde natuurlijk van alles.
De anderhalve zoen van gisteravond. Daar mocht wel een halfje bij.

Maar vooral de misser van gisteren was niet weg te krijgen.
Meg was klaar en Mark had pauze.
‘Hoe is het verder met je, Meg? Al een beetje bekomen?’
‘Gaat wel. Jij?’
‘Aan de ene kant schaam ik me rot. Aan de andere kant denk ik nog steeds dat het de enige mogelijkheid was.’
‘Was?’
‘Wat bedoel je?’ vroeg Mark.
‘Je zei “was”. Verleden tijd.’
‘Ja. Het heeft niet gewerkt, het is misgegaan, we hebben gefaald, het is niet gelukt. Jammer maar helaas.’
‘Begin jij ook al? Luister. Het is gisteravond mislukt, ja. Maar dat wil niet zeggen dat het geen goede poging was. Als jij naast schiet met voetballen, zeg je toch ook niet dat het verkeerd was om te schieten?’
‘Nou, en?’
‘En even later schiet je weer. En scoor je misschien. Klopt toch?’
‘Eh... ja. Wat wil je zeggen?’
‘Misschien moeten we nog een keer schieten,’ zei Meg.
‘Nog een keer? Nog een keer opnieuw beginnen, die vent – als we hem vinden – tot een afspraak verleiden en dan... en dan? Je zwetst, lieve Meg.’
‘Zou kunnen. Maar een laatste poging? Nog één keer proberen? Wat vind je?’ Meg keek Mark aan. Die lachte niet, wat een hele prestatie voor hem was.
‘Stom. Ik vind het stom. Stel dat we hem vinden. Die kans is kleiner dan we dachten, maar goed. Stel dat we hem vinden. Wat dan? De politie ziet ons aankomen. Geen schijn van kans dat die er nog een keer tijd insteekt. En zonder politie is het zinloos, dat weet jij ook. Wij kunnen niks beginnen tegen die vent.’
‘Hoeft ook niet. Wij doen niks. We kijken alleen maar.’
‘Dat schiet lekker op,’ zei Mark.
‘Wacht nou. We kijken of het hem is en verder doen we niks. Bijna niks. Die kerel merkt dat er niemand komt opdagen en

vertrekt weer. Hij gaat naar zijn auto. En wij noteren het kenteken. Klaar.'
'Geschift ben je. En als hij lopend is? Als hij met de bus teruggaat? Of met de trein?'
'Dan gaan wij ook met de bus of met de trein. We wandelen achter hem aan, rustig, op veilige afstand.'
'Je wilt hem volgen? Denk nou even na, Meg. Die vent is gevaarlijk!'
'Hij kent jou niet. En als ik een muts op heb en een bril, kent hij mij ook niet. En we komen nooit dichterbij dan honderd meter, er kan niks gebeuren.'
'De eerste keer heeft hij je ook gepakt. Toen had je je verstopt. Hij probeert ze voor te zijn, Meg. Dat zal hij weer doen.'
'Ik laat me niet zien. Ik zit in een café aan het raam. Met uitzicht op het pleintje.'
'Je hebt erover nagedacht.'
'Ja.'
'En wat is mijn rol, gesteld dat ik aan dat belachelijke plan zou meedoen?' vroeg Mark.
'Je hoeft niet mee te doen. Echt niet. Misschien hoop ik wel dat je het uit mijn hoofd praat. Maar het speelt de hele dag al door mijn kop. Overtuig me maar dat het een onzinnig plan is. Dat zou een hoop rust geven. Nu heb ik nog het idee dat het kan. Dat we hem kunnen pakken.'
'Ik vroeg je wat.'
'Goed. Jij bent bezig op het stuk gras aan de overkant.'
'Ik ben daar bezig.'
'Ja. Met een schoffel. Je schoffelt. Je bent aan het werk. Je bent van de gemeente. Niet gek, hè?'
'Ik sta daar om acht uur 's avonds of zo te schoffelen. Nee, dat is niet gek. Dat is belachelijk! Niemand staat daar 's avonds te schoffelen! Hou op met dat krankzinnige plan!'
'Je hebt gelijk. Het is onzin. Ik weet het ook niet meer. Natuurlijk is het een stom plan.'

'Zo is het. Ik ben blij dat je het zelf beseft.'
Mark sloeg een arm om Megs schouder. Hij keek haar aan en lachte, met zijn hele gezicht. 'Kom, we gaan naar de kantine. Ik lust wel wat.'
'Of je staat je auto te wassen. Dat kan wél, 's avonds.'
'Wat?' Mark bleef staan.
'Je auto. Te wassen. Aan de overkant. Dat zou wel kunnen.'
'Meg! Hou op! Ik begrijp dat je die afgang van gisteren wilt goedmaken. Ik begrijp ook dat je die vent wilt terugpakken en dat je wilt voorkomen dat anderen het slachtoffer worden. Maar kleine Meg hoeft niet de heldin uit te gaan hangen! Meg hoeft niet de wereld te redden, snap je?'
'Ja, ik snap het. Het is al goed. Sorry.'
'Het lijkt wel of je het stiekem leuk vindt om eropaf te gaan. Het is niet leuk, Meg, en het wordt ook niet leuk. Laat het schieten. We hebben ons best gedaan.'
'Goed, ik laat het schieten. Maar dat met die auto, dat was wel een goed idee, of niet?'

<bikmek> *fantasties hier. Ik zit me hier al een uur te vervelen er gebeurt helemaal niksnie*
<mevrouwvandalen> *licht aan jezelluf. Heb je wat te vertelluh dan?*
<4-ever> *het is een zwoele avond. Ik ben alleen maar niet eenzaam. Ik heb twee handen en één hart dat groot genoeg is voor iemand met rood haar. Waar ben je?*
<bikmek> *fok of met je enge praat*
<mevrouwvandalen> *ik heb rood haar*
<4-ever> *ik zoek een BOY met rood haar!!!!!!*
<bikmek> *ik ben een boy met borsthaar, is dat ook goed?*
<mevrouwvandalen> *getver*
<bikmek> *en wat heb jij dan wel? Haar op je rug?*
<4-ever> *stop even. Het is mooi hoor, dit gekrakeel. Maar kunnen we niet als verstandige jonge mensen een boom opzetten?*
<bikmek> *gekra gekra waar heb juh het over, zwans?*

<4-ever> *pardon?*
<prins> komt de chatroom binnen
<mevrouwvandalen> *haudoe prinsje. Heb je rood haar? Dan ken je gelijk met die zwetskop privee*
<prins> *dag allemaal. Jullie hebben toch geen ruzie of zo?*
<bikmek> *zeker wel. Met geheel verkeerd sporend vrouwtjevandalen*
<4-ever> *met mij niet meer, hè lieverd?*
<prins> *khoor het al. Zijn er nog andere gezellige chatters?*
Mark stootte Meg aan.
'Probeer maar. We moeten ergens beginnen.'
Meg had het met Troetel willen doen. Wuftie was te snel, te voortvarend, te brutaal. Dat paste niet bij haar gevoel. Troetel wel. Los, makkelijk, gewoon. Alleen kon ze Troetels naam niet gebruiken. Ze hadden besloten terug te gaan naar de chatroom waar het allemaal begonnen was. In de laatste room was het niet gelukt. En om nou maar lukraak één van de duizenden andere te proberen, dat had weinig zin. Het leek geen gekke gedachte, dat de vent af en toe een bekende chatroom zou uitkiezen.
En Troetel was daar al eerder geweest.
Dus heette Troetel nu Truffel.
'Kom op, Truffel!' zei Mark.
<truffel> *ik zit hier lekker te kijken, komt prins binnen. Heb je een wit paard, prins?*
<bikmek> *een nachtmerrie waarschijnlijk*
<mevrouwvandalen> *een gecastreerde knol misschien*
<prins> *dag truffeltje. Kheb een witte poes. Is dat ook goed?*
<bikmek> *grapje, prins?* BEHEERDER! AFVOEREN DIE DUBIO!
<truffel> *ik hou wel van poezen. Spint hij ook?*
'Heel goed,' zei Mark.
<prins> *ja truffel. Hij spint. Ik ook een beetje trouwens*
<truffel> *ben je een kater?*
<prins> *ja. En jij? Een poes?*
<truffel> *waarom niet? Niks mis met geaaid worden, toch?*
Truffel ging wel hard.

<prins> *ff privee?*
Mark knikte.
<mevrouwvandalen> *klam klef stel zeg*
<bikmek> *eng geplak. Ik hou niet van poezuh*
<truffel> *ff dan*
<prins> *tot zo (((truf)))*
Hij deed het.
Maar ja, die waren er wel meer, hadden ze gemerkt.
Mark kneep even in haar nek. Voelde lekker. Ze zaten op Megs kamer.
Ze had vanmiddag niet verder aangedrongen, het was duidelijk geweest dat Mark niet voelde voor een nieuwe poging. En eerlijk gezegd was ze zelf ook niet helemaal overtuigd. Het was Wuftie, die had zitten trekken en drammen. En soms ging Wuftie gewoon te hard.
Maar een uur later was Mark er op teruggekomen. 'Ik heb er nog eens over zitten denken,' had hij gezegd. 'Om te voorkomen dat je in je eentje gekke dingen gaat uithalen, doe ik mee. Maar wel onder strikte voorwaarden.' Meg was even in de war geweest. Ze had haar plan al in de vuilnisbak gegooid. 'Stel dat we die vent vinden en het lukt om een date te maken,' zei Mark, 'dan laten we hem lopen. We bellen de politie en dat is het. Die moeten hem dan maar oppikken. Niks volgen, niks schaduwen. Te gevaarlijk. En we houden contact met onze mobieltjes. Zo zou het eventueel kunnen.'
'Eh... goed,' had Meg gezegd. Ze werd wat trillerig van het idee, maar Wuftie zat alweer op de achterdeur te trommelen.
En nu zaten ze achter haar pc. En morgen zouden ze bij Mark aan de slag en dinsdag weer bij haar. Jammer van haar huiswerk, maar dit ging even voor. Ze hadden afgesproken het nog een week te proberen. Als het dan niet gelukt was, jammer dan.
'Die prins lijkt erop,' zei Mark.
'Dachten we van de vorige ook,' zei Meg. 'En die deed ook nog dawuf.'

'Misschien doet deze straks ook nog datruf. Ga verder. Niet te gretig. Niet vanavond al op een afspraak aansturen. Boot afhouden, anders begint hij te denken. We zijn er morgen weer en overmorgen.'

'En woensdagavond.'

'Zo is het. Vooruit, je moet weer. Doe je best, ik hou je vast.' Daar was Mark heel eerlijk over. Hij hield Megs rechterdijbeen stevig beet.

<prins> *truffels zijn duur en lekker, heb ik gehoord. Ben jij ook zo?*

<truffel> *ik ben geen echte truffel. En jij bent geen echte prins*

<prins> *is dat erg?*

<truffel> *nee. Het wordt pas ingewikkeld als jij een truffel blijkt te zijn en ik een prins. Snap je?*

<prins> *nee, maar dat geeft niet. Ben je blond?*

<truffel> *als jij donker bent. Anders niet*

<prins> *ik ben blond*

<truffel> *dan ben ik donker*

Zo ging het nog een poosje door. Het ging Meg heel gemakkelijk af, dit geklets. Het ging Truffel gemakkelijk af, besefte ze. Misschien moest Truffel maar blijven. Ze vulde het gat tussen Troetel en Wuftie.

Mark gaf Meg twee keer een kus op haar wang na een mooi antwoord en bleef verder bij haar dij. Verbazend, hoe groot een dij is als er een lekkere hand op ligt. Meg had zijn dij ook even aangeraakt. Hij zei dat ze niet moest kietelen.

Na een kwartier in de privé-box zei Truffel dat ze huiswerk moest maken. Prins had toevallig ook nog geschiedenis en Engels te doen. Ze spraken af om elkaar op maandagavond weer te ontmoeten.

En toen deed hij het.

<prins> *tot morgen. Datruf*

14

'Ik heb kwarteleitjes!' Megs moeder had rode wangen van opwinding. Ze stak twee onooglijk kleine eitjes in de lucht en keek haar man triomfantelijk aan. Daarna Meg.
'Hoe kom jij aan kwarteleitjes, lieverd?' vroeg Peter Bloemhard.
'Van Truitje Gravendeel. Ze had ze over van haar feestje, gisteravond. Wie wil? Ze zijn al gekookt. Nou?'
'Ik heb net jam op mijn brood, mama,' zei Meg. In grote haast smeerde ze haar boterham vol.
'Verdorie,' zei Megs vader. 'Die pindakaas hakt erin. Het spijt me, tikkeltje last van de maag. Al een paar dagen. Zullen de zenuwen zijn voor zaterdag. Maar geef maar hier. Ik heb nog een paar attribuutjes nodig voor een ontzettend leuke act over vogels.'
'Geen denken aan,' zei Karin Bloemhard. Ze pelde de eitjes en sneed ze in plakjes. Het kwartelnageslacht was nauwelijks genoeg om er een toostje mee te bedekken. 'Beetje zout, beetje peper, drolletje mayonaise, je weet niet wat je mist.' Megs moeder nam een hap.
Het was woensdagochtend, kwart voor acht.
Meg had weinig geslapen. Het gesprek met Prins, gisteravond, had niet eens lang geduurd. Maar het was heftig genoeg geweest. Achteraf was ze verbaasd dat het allemaal zo snel was gegaan. Het leek Mark ook net iets te toevallig. Maar het liep nu eenmaal zo. En als ze hier niet op ingingen, waarop dan wel?
De afspraak was dus gemaakt. Donderdagavond acht uur, op het pleintje met het café. Het had weinig moeite gekost. Prins had al snel gevraagd of ze hem wilde ontmoeten en ze had 'ja' gezegd. Zij mocht kiezen waar, dat had ze als voorwaarde gesteld. 'Ik

vind het toch een beetje eng, ik wil het liefst op bekend terrein'.
Daar had Prins begrip voor gehad. Hij woonde niet veraf, maar wilde niet zeggen waar.
Het pleintje, met bosjes aan de randen en met een kleine vijver in het midden, lag in het zuiden van de stad. Ze kende de buurt op haar duimpje, ze kwam er vijf keer in de week langs als ze naar school ging.
Morgenavond om zeven uur zou ze Mark treffen, op haar observatiepost, het café aan het pleintje. Daar zouden ze de laatste details doornemen.
Meg was gespannen. Ze was blij dat Mark erbij zou zijn. En Troetel en de anderen, natuurlijk.
'Ik denk dat ik zo maar eens ga,' zei Megs vader. 'Er is nog een hoop te doen in het theater.'
'Vergeet je niet wat, papa?' vroeg Meg.
'Vast wel. Wat bedoel je?'
'Je truc. Je doet altijd een truc voordat je weggaat.'
'Oh dat. Ik doe geen truc. De hele week niet meer. Ik heb een beetje de zenuwen. Stel dat het misgaat. Ik weet het, die kans is niet zo groot, maar je moet de goden niet verzoeken. Ik moet mijn zelfvertrouwen intact laten.'
'Hoe gaat het met de voorbereidingen, Peter? Zijn jullie er al klaar voor?' vroeg Megs moeder. Ze slikte het laatste stuk van het kwarteltoostje door. Er zat wat mayonaise bij haar mondhoek.
'Het wordt fantastisch, zaterdag! Uitverkocht huis! De belichting is klaar, de decors ook. De pers komt met zeker tien man. En je hebt nog nooit zo'n mooi programmaboekje gezien, en...'
'En de optredens?'
'De optredens? Allemaal top. Havana is klaar. Hij had er een hard hoofd in, maar het is hem gelukt. De Roemenen doen hun acts nu met hun ogen dicht. Het zit gebeiteld. En de truc met de cavia's heb ik veranderd en eigenlijk helemaal omgekeerd. Verder hebben we natuurlijk nog de twee komische acrobatennummers.'

'Die ook nog?'
'Ja. Een groep van vijf vrouwen, Pentafam. En een duo. Twee vreselijk leuke mannen, De Watjes. Die hebben in de Oude Kerk gerepeteerd, daar hadden ze de ruimte. En verder Werner met de hondjes. Die komen pas vrijdag, maar hij vertelde dat het allemaal goed zou komen, ondanks de hondengriep die heerst.'
'En Meg?'
'Meg steelt de show, let maar op. Of niet, Meg?'
'Gaat wat ver, papa.'
'Helemaal niet. Maar goed, we zijn in feite klaar. Alles heeft zijn plaats, zijn functie in de voorstelling. Iedereen speelt zijn rol in het grote verhaal, alles hangt met alles samen. We laten de hemel zien! En hoe je er komt! En hoe je er dus niet komt! Wat je niet moet doen als je succes wilt hebben en wat je vooral niet moet laten als je het ongeluk zoekt. Maar je kunt het dus ook weer omdraaien, dat je juist wel...'
'Ja, ja, ik begrijp het,' zei Megs moeder. 'Iemand nog een toostje?'

'Heb je je mobiel bij je?'
'Natuurlijk,' zei Meg.
'Politienummer in het geheugen?'
'Ja. En dat van de huisarts.'
'Mooi. Hebben we niet nodig, gelukkig.'
'Hij misschien wel.'
'Wie weet.'
'Mark?'
'Ja?'
'Ik ben een beetje zenuwachtig. Ik ben verschrikkelijk zenuwachtig.'
'Hoezo? De vorige keer viel het wel mee, dacht ik.'
'Toen zat ik in een politieauto.'
'Dat is waar. Meg?'
'Ja?'

'Ik ben ook een tikkeltje, een zeer klein miniem tikkeltje, maar dan ook dat je zegt, goh, het is bijna niets, nerveus.'
'Goed zo. Dan ben ik niet de enige. Je bent dus strontzenuwachtig.'
'Ja.'
'We moeten aan het werk, Mark.'
'Zo is het. Vooruit dan. Mijn auto staat er al. Ik heb een jerrycan met water, een spons, een doek en een emmer. Om kwart voor acht begin ik.'
'Klinkt goed.'
'En jij blijft hier zitten en belt me als je hem ziet. En dan de politie.'
'Of andersom.'
'Ja.'
'En als jij hem herkent van de foto, dan bel je mij. En dan de politie.'
'Of andersom,' zei Mark.
'Precies.'
'Het lijkt of we verder niets hoeven af te spreken. Volgens mij kan er niets misgaan, zolang jij hier blijft zitten.'
'Behalve als het hem niet is. Als het een jongetje is, zoals de vorige keer. Of een andere vent. Wat doen we dan?'
'Niks. Helemaal niks.'
Eindelijk was het tafeltje aan het raam vrij. Er hadden twee vrouwen gezeten. Die waren nu aan het afrekenen.
'Nu!' zei Mark.
Ze stonden op en liepen naar de tafel aan het raam. Het was een perfecte plek. Je kon het plein van links tot rechts overzien. Aan de overkant stond Marks auto. Meg hoopte dat die een beetje vies was.
Het was druk in het café. Vooral bij de bar zaten en stonden veel klanten. Voortdurend kwamen er nieuwe gasten binnen en verlieten andere de kroeg. Er werd nogal luidruchtig gekletst. Meg en Mark waren er niet in geïnteresseerd. Ze keken naar elkaar en

vooral naar het plein met de vijver en de struiken. Het was half-acht en er was niets bijzonders te zien.
Mark pakte Megs hand en lachte. 'Meg?'
'Ja, ik heb ook niks meer te zeggen. Ik wou dat het kwart over acht was, dan was het voorbij.'
'Meg?'
'En als ik je niet meer zie: ik zal je niet vergeten. Ik zorg voor de bloemen.'
'Meg?'
'En als ik er niet meer ben, wil jij dan een mooie toespraak houden? Niet over Wuftie, graag.'
'Hou nou eens even je klep! Ik wilde je wat vragen.'
'Ja, je mag een foto van me hebben.'
'Laat maar. Het hoeft niet meer. Eigen schuld.'
'Wat wou je vragen?'
'Een zoen. Voor ik ga. Een laatste zoen.'
'Mooi gezegd. Kom hier.' Meg boog voorover en stootte haar flesje cola om. De kus was belangrijker. Hij duurde twintig seconden.
'Ik ga,' zei Mark. 'Mijn auto heeft een beurt nodig. Let goed op. En we bellen wel. Dag!'
'Tot straks!'
Mark stond op, liep naar de deur en stak het pleintje over.
Om drie over acht bestelde Meg haar derde cola.
Er gebeurde helemaal niks.
Ze zag dat Mark voor de tweede keer de neus van zijn auto begon te poetsen.

Ik lijk wel gek, dacht Mark. Sta ik hier op dit stomme plein twee keer mijn auto te wassen. Ik heb nog nooit mijn auto gewassen! En ik doe het ook nooit meer!
Er stopte een oude Landrover achter zijn auto, zag Mark uit een ooghoek. Er stapte een man uit. Niet op reageren, dacht hij, gewoon doorpoetsen. Ik moet me onopvallend en natuurlijk gedragen.

De man sloeg het portier dicht en wandelde de kant van Mark op.
'Pardon, mag ik u iets vragen?'
Mark schrok er toch nog van. De man stond vlak achter zijn rug.
Mark draaide zich om en wist direct dat het mis was.
Helemaal mis.
De man van de foto.
Met zonnebril, een snor en een baseballpet op en twintig jaar ouder, maar onmiskenbaar de man van de foto.
Maar dat was het ergste niet.
De man had een mes in zijn hand. Een klein mes in een onwaarschijnlijk grote hand.
'Doe precies wat ik zeg of ik prik je helemaal lek,' fluisterde de man.
Mark was verstijfd van angst. Er schoot door hem heen dat hij weg zou moeten rennen, maar zijn benen deden het niet meer. Het was alsof ze van iemand anders waren.
'Rustig lopen, die kant op, waag het niet iets te proberen. Mijn hand zit drie centimeter van je rug vandaan.'
Mark schuifelde een paar meter over de stoep. Hij durfde niet over zijn schouder te kijken.
'De auto. Doe het achterportier open en ga op de bank zitten. Geen geintjes.'
Mark deed de deur van de oude Landrover open en wist dat dit een cruciaal moment was. Wilde hij ontsnappen, dan moest het nu. Als hij in de auto zou stappen, dan was hij overgeleverd aan de man. Hij had nog een seconde om te beslissen.
Een steek in zijn rug maakte een abrupt einde aan zijn overweging. Mark voelde dat het mes door zijn trui en zijn T-shirt heen ging. Veel verder ging het niet en het deed eigenlijk nauwelijks pijn. Maar Mark voelde letterlijk dat hij geen keus had. Hij ging zitten. De vent dook naast hem op de bank en wees met zijn mes naar Marks keel.
'Je polsen. Hou je polsen omhoog. Tegen elkaar aan. Ja, zo. Niet bewegen, ik waarschuw je.'

Mark bewoog niet.
Bliksemsnel wikkelde de man een paar decimeter tape om Marks polsen. Even later zaten de onderarmen van Mark vast aan een stang van de voorstoel. Hij kon geen kant meer op.
'Zo,' zei de man met de grote handen. 'Domme actie, knul. Onderschat nooit je tegenstander.'
Mark probeerde zijn adem onder controle te krijgen. Meegaan! Ik moet rustig blijven en me meegaand gedragen! Praten! Rustig praten! Niet verzetten!
'Eh...' Het kostte verschrikkelijk veel moeite. Wat moest hij zeggen? 'Eh... ik denk dat u een fout maakt, meneer. U ziet me voor iemand anders aan. U heeft ruzie met iemand, of niet? Eh...' Mark wist het niet. Er kwam alleen maar onzin uit. Er was hooguit een vliesje van zijn hersenen dat nog werkte.
'Rustig maar, jongen. Ontspan. Vertel even wat het nummer is van je vriendinnetje. Van haar mobiel, bedoel ik.'
Mark kon nauwelijks nadenken, maar dit kwam kraakhelder door. Nooit zou hij haar nummer geven. Mes of geen mes.
'Ze heeft geen mobiel.'
'Natuurlijk wel. Slechte poging, jongen. Laten we verder geen tijd verspillen. Waar is die van jou? Ah, in je rechterzak. Even kijken, ze staat er vast wel in. "Telefoonboek", "akkoord", even zoeken. "Meg", is dat haar? Zullen we haar even bellen?'
'Meg is mijn moeder,' probeerde Mark nog, maar de man had de yesknop al ingetoetst.
'Hij doet het,' fluisterde de man.

Meg had het plein in de gaten gehouden, maar niets verdachts gezien. Af en toe fietste er iemand voorbij, soms reed er een auto door de smalle straat en er liepen regelmatig mensen langs de kroeg. Maar geen zoekende jongen en al helemaal geen man die ze kende van een paar weken geleden. Alles was precies zoals je verwachtte op een gewoon pleintje in het zuiden van de stad.
Ze had de auto gezien die stopte achter die van Mark. Een ouwe

bak. Maar ja, er stonden wel meer auto's aan de overkant. Iemand die thuiskwam, waarschijnlijk.
Ze had de man met de pet zien uitstappen en naar Mark zien lopen. En ze had gezien dat ze in gesprek raakten.
Hè? Een kennis van Mark? Raar toeval. Ook een vervelend toeval, het zou Mark afleiden. Meg nam zich voor extra goed op te letten.
Toen de mannen naar de oude auto liepen en instapten, kreeg Meg een raar gevoel in haar maag. Ze wilde zichzelf wijsmaken dat er een redelijke verklaring voor was, maar ze kon er geen bedenken. Mark zou tot kwart over acht zijn auto wassen en het plein in de gaten houden. En nu stapte hij doodleuk in een andere auto. Hij hield zich niet aan de afspraak. Dat was niets voor hem.
Er klopt iets niet, hamerde het in Megs hoofd. Er klopt iets verschrikkelijk niet.
Ik moet bellen, dacht Meg. Ik moet bellen. Haar handen trilden een beetje toen ze haar mobiel pakte. Hij gleed uit haar handen en viel op de grond. Het maakte haar nog ongeruster. Gelukkig brandde het lampje nog.
Wie moest ze bellen?
Bij iets verdachts de politie, hadden ze afgesproken. Maar was dit verdacht? Wat moest ze de politie vertellen? 'Mijn vriend is bij iemand in de auto gaan zitten, ik maak me ongerust'? Ze zou nog net niet uitgelachen worden.
Ze moest Mark bellen.
Vragen waarom hij ermee was gestopt. Vragen wat er aan de hand was.
En dan gaf hij een redelijke verklaring en was ze gerustgesteld.
Dat zou ze doen.
Nog voor ze zijn nummer kon intoetsen, nam haar mobiel het initiatief. Ze werd gebeld.
Meg had moeite met het knopje. Haar duim werkte niet mee. Uiteindelijk had ze de toets ingedrukt. Ze hield de mobiel tegen haar oor.

'Hallo?'
'Dag Meg! Of zal ik Sister zeggen? Of heb je liever Truffel? Ik vind het allemaal goed. Maar volgens mij heet je gewoon Meg.'
Meg versteende. Ze herkende de stem. Wat gebeurde hier? Ze liet haar hand met de telefoon zakken en keek naar buiten. Ze zag niets. Angst in haar borst. Toen in haar keel en daarna in haar hele lijf. Ze begon een beetje te hijgen en pakte haar colaglas beet. Rustig! Hou je vast! Hou je vast! Ze kneep in het glas en keek naar de luchtbellen. Na tien seconden zakte de paniek wat weg.
Hoe kwam die vent aan haar nummer? Hoe wist hij dat ze Meg heette? En waarom belde hij juist nu? Net op het moment dat ze Mark wilde bellen?
Mark!
Waar was Mark, shit, waarom was hij er niet? Ze had hem nodig! Nu!
Maar hij zat in die auto te kletsen, daar aan de overkant. Wat moest ze doen? Meg stond op. Het was nog geen honderd meter. Twintig seconden en ze zou bij Mark zijn. Een stukje rennen van niks. Ze liep naar de deur en deed hem open. En weer dicht. Ze hadden wat afgesproken.
Ze zou onder geen voorwaarde haar plek in het café verlaten. Als er iets was, zou ze bellen. Mark of de politie. Meg ging weer zitten en haalde diep adem. Ze hield de telefoon tegen haar oor.
'Ben je er nog, Meg? Ben je er nog? Je mag best even bijkomen van de verrassing, hoor Meg. Heb je veel aan me gedacht? Ik wel aan jou. Ik ben zo blij dat ik je aan de lijn heb. Het was maar zo kort, de vorige keer, vind je ook niet? Veel te kort. Maar we gaan het inhalen, wees maar niet bezorgd. Hallo, ben je er nog, Meg?'
Meg keek naar de overkant, naar de achterste auto. Er gebeurde niets. Mark, toe nou! Stap uit! Kom hierheen!
'Ik weet dat je er bent, Meg. Ik weet dat je nadenkt. En dat je een beetje bang bent. Hoeft niet! Ik kan je niks doen! Ik zit alleen maar in je telefoon!'

Rustig, rustig nou. Hou je glas goed vast en denk na.
Ze hoefde niet bang te zijn, daar had die zak gelijk in. Ze zat hier in een vol café en hij ergens anders. Bellen, ik moet bellen. Niet de politie, nog niet. Die kon ze niets zinnigs vertellen. Ze moest Mark bellen. Nu.
'Niet neerleggen, Meg, hoor je me? Ik heb je nog zoveel te zeggen.'
Hou je smoel, klootzak. Meg verbrak de verbinding en zocht het nummer van Marks mobiel. Ze toetste de yesknop in en hoorde de piepjes. Hij ging een paar keer over.
'Ha, fijn dat je zo snel terugbelt, Meg.' De stem. De fluisterstem. Meg voelde dat de paniek terugkwam. Ze had de man aan de lijn. Ze had Marks nummer gedraaid. Het duurde even voor het in alle hevigheid doordrong.
De man had Marks mobiel!
Om kwart voor acht nog niet.
Nu wel.
De auto aan de overkant. Het gesprek tussen Mark en de man met de pet.
De man met de pet.
Het was de man met de pet! En hij zat met Mark achter in die oude auto! Wat was er met Mark gebeurd? Wat had die klootzak met Mark gedaan?
'Sister, luister even. Je hebt je vriendje gebeld, maar hij kan nu even niet met je praten. Daarom doe ik het. Luister je?'
Meg luisterde. Een schreeuw op de achtergrond. Mark. 'Poli...', hoorde ze en toen een klap. Meg voelde dat ze koud werd vanbinnen. De paniek dreef weg, er kwam iets anders voor in de plaats. Ze trilde niet meer, het was net of alles wat trager ging. Trager maar trefzekerder. Haar hoofd werd helder. Helder, zonder ballast, zonder bijzaken. Ze voelde dat er rust kwam, van haar voeten tot haar vingers en van haar borst tot haar hersens. Het gevoel was weg.
'Truffel, ik zie je zitten. En jij bent er nu achter waar ik zit, waar

of niet? Grappig, hè, ontmoeten we elkaar toch weer. O ja, je denkt erover de politie te bellen. Zou ik niet doen. Het zou niet aardig zijn tegenover je vriendje. Die zit hier en hij wil zoveel maar hij kan niks. Hij zit vast. En hij kijkt heel angstig naar mijn mesje. Of niet, knul? Ik geloof dat hij knikt. Hij kan even niets zeggen want ik heb zijn mond dichtgeplakt. Hij sprak zo-even voor zijn beurt. En dat hadden we niet afgesproken, hè jongen? Maar even serieus. Als je de politie belt, is hij dood.'
Meg keek naar haar arm. Kippenvel. 'Wat wil je?'
'Jou.'
Meg schonk haar flesje leeg, nam een slok en zette het glas neer. Ze trilde geen moment. Toen keek ze naar de overkant. Daar zat Mark. En die zak. Op twintig seconden van haar vandaan.
Haar hersens werkten als een computer. Snel, logisch en efficiënt. De politie bellen was te riskant. Mark was overgeleverd aan die psycho. Wat dan?
Meg keek om zich heen. Mannen genoeg. Ze zou een knokploeg kunnen regelen, binnen vijf minuten. De auto zou niet eens de kans krijgen weg te rijden. De man zou worden gepakt.
En Mark zou misschien dood zijn.
Ze zat klem. Ze had geen keuze.
'Wat bedoel je met "jou"? Als ik kom, laat je Mark gaan?'
'Dat klinkt al beter. Natuurlijk, Sister. Natuurlijk laat ik je vriendje dan gaan. Wat moet ik met die jongen? Ik heb al weken maar één ding in mijn hoofd. Een fijn gesprek met jou.'
Ik moet tijd winnen, dacht Meg. Ik moet tijd hebben om na te denken. Iets verzinnen, een plan maken.
'Hoe wist je dat Mark mijn vriend is? Hoe wist je dat je al eerder met me had afgesproken? Hoe weet je hoe ik heet?'
'Allemaal tijdverspilling, meisje.' De man fluisterde zo zacht dat ze hem bijna niet verstond.
'Je wist het van tevoren, of niet? Heb je me herkend van de chatroom? Was ik zo herkenbaar? Of heb je mij gevonden via mijn e-mailadres?'

'Leuk, Meggie. Maar ik heb geen tijd voor lange gesprekken. Mark ook niet, geloof ik. Of wel, Mark? Hij knikt van nee. Nou, hoe zit het?'
Meg wist het niet. 'Wat stel je voor?' Onderhandelen. Praten. Misschien dat ze op een idee kwam.
'Jij loopt nu rustig naar me toe. Dan komt alles goed.'

Mark had het benauwd.
De tape zat slordig over zijn mond geplakt en had en passant een neusgat meegenomen. Met één neusgat kon je nog wel behoorlijk ademen, maar dan moest verder alles meezitten. En er zat niets mee.
Zijn handen zaten vast aan de voorstoel. Hij kon niet praten, hooguit wat kreunen. Naast hem zat die gek met zijn mes.
Rustig ademen, niet in paniek raken. Rustig en diep ademhalen.
Mark hoorde de vent onderhandelen met Meg. Hij werd er beroerd van. Hij voelde wat Meg moest voelen: dat ze geen kant op kon. Mark hoopte tot in het diepst van zijn lijf dat ze er niet op in zou gaan. Het zou geen enkele zin hebben. Straks had hij hen alle twee in zijn macht!
Ze moest de politie bellen. Dat hadden ze ook afgesproken. Meg, alsjeblieft! Bel de politie! Ga niet op eigen houtje iets doen!
Mark wist wat hij in haar plaats zou doen. Van die gedachte werd hij niet rustiger. Hij zou de politie niet bellen vanwege de risico's. Hij zou tijd proberen te winnen. En uiteindelijk zou hij erheen gaan, omdat er niets anders op zat. Meg, doe het niet!
Mark keek opzij. De man zat ontspannen achterover met de telefoon aan zijn oor. Hij had een vaag lachje rond zijn mond. In zijn vrije hand had hij het mes. Een knipmes met een vrij kort lemmet.
Rustig ademen, niet in paniek raken. Rustig en diep ademen.
Zijn vingers kon hij een beetje bewegen, zijn armen ook. Maar zijn polsen zaten vast. Mark keek of er een kans was om ze met één ruk los te trekken. Hij was niet groot, maar tamelijk sterk.

De tape zat vier keer om zijn polsen en de stang gewikkeld. Zou het kunnen? Eén ruk met alles wat hij had?
Geen schijn van kans.
Misschien zou hij zich kunnen bevrijden als hij alleen was en de tijd had.
Eerst met zijn vingers de tape van zijn mond zien te krijgen. Dan met zijn tanden de tape rond zijn polsen loswurmen. Verder klooien tot hij uiteindelijk los zou zijn. Hij zou zeker een kwartier nodig hebben.
De man met de grote handen las zijn gedachten.
'Nee, dat wordt niks, vriendelijke vriend. Blijf maar rustig zitten. Jij hoeft niets meer. Het gaat vanaf nu alleen nog om je vriendinnetje.' De man hoestte. 'Truffel, die heeft de hoofdrol vanavond.'

Meg zette haar mogelijkheden nog een keer op een rij.
De politie bellen. Als die de auto ging benaderen, was er een goede kans dat Mark zou worden gedood. De vent was gek.
Knokploeg? Zelfde risico.
Erheen gaan. Ook gevaarlijk. Ze wist donders goed wat de man van plan was. Maar was dat gevaarlijker dan de andere opties? De vorige keer had ze hem tijdelijk uitgeschakeld en was ze ontsnapt. Kansloos was ze dus niet. Als ze tijd kon winnen, als ze hem kon afleiden, zou Mark misschien nog een rol kunnen spelen. Dat zou een hoop uitmaken.
En Mark zat daar vanwege haar.
Er zat niets anders op.
'Hallo?'
'Dag Meg. Ja hoor, ik ben er nog. En ik weet wat je gaat zeggen. Heel verstandig, meisje. Kom maar. Kom maar naar je nieuwe vriend.'
Meg haalde diep adem. 'Ik kom naar de auto. Ik blijf ernaast staan. Als ik er ben, laat je Mark los. Je hebt hem dan niet meer nodig.' Ze moest het proberen.

'Bijna goed, Meg. Je komt hiernaartoe en stapt in. Ik hou de deur voor je open, zo galant ben ik wel. Daarna kom ik naast je zitten. Gezellig met zijn drieën op de achterbank. En dan even kletsen. Nu! Komen! Mark heeft het een beetje benauwd als ik het goed zie.'
Het was ongeveer het slechtste scenario dat Meg kon bedenken, maar ze moest wel. Ze had nog een minuut de tijd om een plan te maken. Onmogelijk en zinloos, wist ze.
Meg stond op en griste een vork van het tafeltje naast haar. Ze stak hem in haar zak. Liever had ze een mes, een pak lucifers of een pistool gepakt. Er lag alleen een vork.
Afgerekend had ze al een kwartier geleden. Ze deed de deur van het café open, nam een teug frisse lucht en stak de straat over. In een rustig tempo liep ze langs de kleine vijver, over het grindpad, naar de straat waar de auto stond. Voor ze er was, stapte de man uit. Hij maakte een kleine buiging en stak zijn arm uit naar de achterbank.
Meg deed nog een paar stappen en bleef toen staan.
'Dag Meg, welkom. Verstandig besluit van je. Ga zitten.'
De man zag er goor uit, zag Meg, en zo rook hij ook.
'Wat ben je van plan?'
'We gaan een ritje maken. Kom, neem plaats.'
'Ik wil weten waarheen en wat je met ons gaat doen.'
'Nu niet gaan zeiken, meisje. Eerst gaan zitten. Maak het Mark niet zo moeilijk.'
Meg keek naar binnen en schrok zich rot. Ze zag Mark in een rare houding op de achterbank. Hij was lijkbleek en zijn ogen leken veel groter dan normaal. Hij knipperde voortdurend.
Ze ging naast hem zitten, legde een arm om zijn schouder en keek hem aan. 'Dag Mark. Dag lieve Mark.' Ze probeerde te glimlachen.
Mark knipperde terug en kreunde zachtjes.
'Zo,' zei de man met de grote handen. Hij was naast Meg gaan zitten en had het portier dichtgedaan. 'Je polsen. Steek je polsen

omhoog en hou ze tegen elkaar aan. Schiet op, ik heb haast. En een mes.' Hij stak het ding in de lucht.
Binnen een paar seconden had hij Megs polsen met tape omwikkeld en aan de achterkant van de rechter stoel vastgemaakt. Mark en Meg zaten naast elkaar. Nog geen drie kwartier geleden hadden ze ook naast elkaar gezeten.
'Zitten jullie goed?' vroeg de man. Hij stapte uit, liep naar het linker voorportier en ging achter het stuur zitten. Hij draaide zich half om en keek Meg aan.
'Dat komt ervan als je mensen bedondert. Als je ze afwijst en schopt. Als je ze allerlei moois belooft en dan wegloopt. Dat kan niet, meisje. Zo ga je niet met mensen om. Je kunt op zijn minst je afspraken nakomen. Vind je niet?'
'Shit! Jij hield je niet aan de afspraak! Jij loog over je leeftijd.' Het was eruit voor ze het tegen kon houden. Stom! Niet op ingaan! De vent was gek!
'Meg, klein leugentje, meer niet. Laten we wel zijn. Jij noemde je Sister. Dat was een leugen, zo heet je niet. Je vertelde een hoop andere dingen die niet klopten. Je gaf het zelfs toe. Niemand weet precies wie de ander is, zoiets zei je, en je had het over jezelf. Ben je dat allemaal vergeten? Jij hebt me totaal iemand anders voorgeschoteld dan je bent. Ik heb alleen gelogen over mijn leeftijd. Wie bedondert nou wie?' De man legde zijn grote handen op het stuur en hoestte.
Meg wist dat ze er niet op in moest gaan. Ze keek opzij en probeerde met haar knie Marks dijbeen te bereiken.
'En het doet me nog het meeste verdriet dat je me er probeert in te luizen, Meg. Hebben we een afspraak en dan neem je een vriendje mee om me te grazen te nemen. Daarmee maak je me heel erg boos, Meg. Ik was al boos, maar nu ben ik ook nog verdrietig. En als ik verdrietig ben, doe ik rare dingen, zeiden ze vroeger al.'
Tijd winnen. Nadenken. Onderhandelen. Praten.
'Je hebt ontdekt dat we je zochten, op internet,' zei Meg.

'Oh? Is dat zo? Ik dacht dat het allemaal toeval was. Erg toevallig, dat vond ik wel. Goh, weer wat geleerd. Nog voorzichtiger zijn.'
'Hoe wist je dan dat ik het was? Hoe wist je dat Mark erbij hoorde?'
'Och meisje, dat wil je niet weten. Het was zo simpel.'
Praten. Verder praten. Zolang er gepraat werd, was er uitstel.
'Hoe wist je dat ik Sister ben? Heb je dat al die tijd geweten?'
'Wil je het echt weten? Nou vooruit. En daarna gaan we weg, want er is nog een hoop te doen. Luister, Sissie. Meestal ben ik ruim op tijd voor mijn date. Dan zoek ik een rustig plekje ergens in de buurt. Ben je onze eerste afspraak vergeten? Goed, ik stond dus aan de bar in dat gezellige café. Zie ik jou binnenkomen met die leuke jongen van je. Tjonge, wat hadden jullie het gezellig. En maar naar elkaar en naar buiten kijken. Ik had precies drie seconden nodig om je plannetje te begrijpen. Zo, heb je nu door hoe stom jullie zijn? Misschien begrijp je dat ik jullie moet straffen voor dat stiekeme gedoe. Vooral Mark. Hé Mark, leef je nog? Kom, aan het werk.' De man startte de motor, schakelde en trok op.
'Wat gaan we nu doen?' vroeg Meg.
'We zijn met zijn drieën, dat is één te veel. Ik had met jou een afspraak, niet met jullie beiden. Dus we moeten Mark wegdoen. Sorry, Mark.'
'Dan kan hij toch net zo goed hier uitstappen?'
De man lachte kort.
'Dan gaat hij naar de politie en dan hang ik. Dat zou niet zo slim zijn. Het spijt me voor Mark, maar hij moet boeten voor zijn stommiteit. Mark is overbodige en vervelende ballast. En overbodige ballast moet je dumpen. Liefst in diep water. Snap je?'
Meg was bang dat ze het snapte. Ze keek even naar Mark. Die snapte het ook.
'Mark zal heus niet naar de politie gaan, zolang je mij in de auto hebt,' probeerde Meg. Ze wist dat het zinloos was.

'Maar daarna wel,' fluisterde de man. 'En nu ophouden met dat geklets. Bereid je maar vast voor, het wordt een drukke avond.'
'Waar gaan we heen?'
'Naar een rustig plekje buiten de stad. Een plek met veel en diep water.'
'Is het ver?' Meg móest weten hoeveel tijd ze nog hadden.
'Hoezo?'
'Ik wil tijd hebben om afscheid van Mark te nemen. Dat kun je toch wel begrijpen?'
'Ha ha, wat een grap. Dat had je beter eerder kunnen doen, meisje. Nu is het te laat. Over een kwartier zijn we er en is je tijd op. In ieder geval die van je vriendje. Jou heb ik nog even nodig, maar dat wist je al.'
Een kwartier. Ze hadden nog een kwartier. Een kwartier om iets te proberen. Maar wat? Meg trok nog eens aan haar polsen. Het had geen enkele zin. De vork! De vork in haar zak! Ze voelde hem zitten. Als ze die uit haar zak kon krijgen en naar haar handen kon overbrengen, dan was er een mogelijkheid dat ze de tape kon loswurmen.
Een kwartier.
Meg wist dat ze een kans had. Ze keek naar haar rechterzak. Daar moest ze het ding uithalen. Er was geen twijfel mogelijk, dat kon maar op één manier. Met haar mond.
Ze was soepel en lenig, maar dat zou niet genoeg zijn. Om bij haar broekzak te komen, moest ze alle kracht die ze had, inzetten. Als een slangenmens zou ze zich moeten opvouwen. En alles zou verder mee moeten zitten.
Kon ze het?
Stomme vraag.
Het moest, anders was alles verloren.
Meg glimlachte even naar Mark. Hij zag er slecht uit. Ze keek naar de man achter het stuur.
Ze had nog dertien minuten.

Na drie minuten druppelde het zweet via haar hals op haar knieën. Meg zat met haar hoofd tussen haar armen en probeerde centimeter voor centimeter lager te komen. Het deed pijn ergens in haar borst, maar ze zette door. Ze ging wat verzitten, iets naar achteren, en kon toen haar hoofd weer wat verder naar beneden krijgen. Nog een paar centimeter, dan was ze bij haar broekzak.
De man achter het stuur hoestte.
Ze moest opschieten! Het ging veel te langzaam! Als ze de vork te pakken had, begon het pas!
Nog acht minuten.
Megs hele lijf deed pijn. Kom op! Verder! Je bent er bijna!
Ze had het gevoel of haar ribben over elkaar schoven. Alles schreeuwde dat ze moest ophouden. Nog één centimeter.
Ze was er.
Met haar tong kon ze in haar zak de vork voelen. Maar die werkte niet mee. Die zat daar goed. Haar tanden moesten het doen. Ze moest nog dieper omlaag. Maar dieper kon ze niet.
Het moet! Schiet op! Verder! Nog verder!
Toen had ze hem. Ze had het uiteinde te pakken. Voorzichtig nu! Heel langzaam trok ze de vork met haar tanden uit haar broekzak, millimeter voor millimeter. Na een halve minuut kon ze eindelijk omhoog, langzaam, heel langzaam. Er mocht nu niets meer misgaan.
Zes minuten.
Meg kon eindelijk weer normaal ademhalen. Ze keek even naar de man achter het stuur. Die lette goddank alleen op de weg.
De vork moest nu naar haar handen. Dat was niet moeilijk. Het enige gevaar was, dat de man in zijn spiegel of achterom zou kijken. Het moest snel gebeuren. Meg hield haar ogen op de man gericht en boog voorover naar haar handen.
Toen gebeurde het.
'Shit!' riep de man en hij trapte hard op de rem. 'Klotefietsers!'
Meg knalde naar voren. Haar tanden gingen een fractie van een

seconde van elkaar. Ze was de vork kwijt. Ze zag hem via haar knie op de grond vallen, net naast haar voet. Onbereikbaar.
Alles was voor niets geweest.
Meg was uitgeput. Haar lichaam gaf het op. En daarmee haar hoofd. Het was over.
Nog vier minuten.
Meg hijgde, deed haar ogen dicht en ging achterover zitten. Ze transpireerde. Het was koud zweet. Ze voelde de knie van Mark. Hij zocht contact. Ze keek opzij en zag dat hij glimlachte. En knipperde met zijn ogen. Hij zag er ellendig maar lief uit. Hij knipperde weer. Hij wilde haar iets duidelijk maken!
Mark keek van haar naar zijn voeten. Toen naar de achterkant van de voorstoel en weer naar haar. Wat wilde hij zeggen? Hij deed het opnieuw: voeten, stoel. Voeten, stoel.
En ze begreep het.
De auto was oud, de stoel gammel. Mark wilde met zijn voeten de voorstoel een trap geven. De man zou schrikken, hij zou tegen het stuur worden gegooid en in het gunstigste geval de macht over het stuur verliezen. En dan? Ze zouden verongelukken. Mark en zij zaten relatief beschermd, de man voorin zou de grootste klap opvangen. Als hij gewond was, kregen ze misschien de gelegenheid zich los te maken. Er zou iemand op af kunnen komen of wie weet de politie. Over de andere mogelijkheden dacht ze maar liever niet na. Maar over wat er zou gebeuren als de man zijn gang kon gaan, daar wilde ze ook niet over nadenken.
Het was een poging waard. Een levensgevaarlijke poging, maar er was geen keus.
En geen tijd. Misschien twee minuten.
Meg keek Mark aan en knikte bijna onzichtbaar. Het was nu aan hem. Hij zou het moment moeten kiezen. En daarna, wat daarna?
De man achter het stuur hoestte weer. 'We zijn er bijna,' zei hij. 'Zijn jullie er klaar voor? Mark, jongen, ik vond het leuk om je gekend te hebben. Jammer dat het zo kort was.'

Het schemerde inmiddels. Ze reden op een smalle buitenweg. Er was verder weinig verkeer. Geen gunstige omstandigheid. Meg zag dat Mark langzaam naar voren schoof, tot hij vanaf de achterbank iets naar beneden gleed. Hij had nu steun in zijn rug van de zitting. Die had hij nodig als hij de trap ging geven. Hij tilde zijn voeten op en zette die voorzichtig tegen de rugleuning van de voorstoel. En toen wachtte hij.
En wachtte.
Nu! Doe het nu!
Maar Mark wachtte.
Waarom doe je het niet! Straks is het te laat!
Mark wachtte.
De auto remde af en maakte een scherpe bocht.
Dat was het moment.
Marks benen schoten naar voren, recht tegen de achterkant van de bestuurdersstoel. Het ding gaf gemakkelijk mee en knalde zeker dertig centimeter naar voren. De man voorin werd gelanceerd en klapte vol met zijn borst op het stuur. Zijn hoofd vloog nog iets verder door en raakte hard de voorruit. Hij had het stuur losgelaten.
De auto was nog niet klaar met de bocht maar maakte hem niet af. Meg had zich klein gemaakt en zat voorover gedoken op de achterbank. Ze zag niet waar de auto op afging maar voelde een enorme hobbel, toen even niets, alsof de auto los van de grond was en daarna een enorme klap. Ze doken voorover en de achterkant van de auto kwam omhoog. Hij sloeg over de kop en raakte tenslotte met het dak de grond. Nog even schoof hij door, toen was het stil.
Doodstil.

Meg lag half op haar schouder, half op haar rug op de binnenkant van het dak. Haar polsen zaten iets minder strak vast aan de voorstoel, de tape was door de draai een stukje afgewikkeld. Ze lag er niet eens zo oncomfortabel bij. Voorzichtig probeerde ze

haar benen. Die deden het. Ze bewoog haar hoofd. Ging goed. Haar armen, haar vingers. Alles werkte nog.
Ze keek opzij naar Mark. Die keek ook net opzij. Er zat bloed op zijn wang, maar hij glimlachte en knikte heel even met zijn hoofd. Toen trok hij zijn wenkbrauwen op en keek naar de man voorin.
Nog geen halve meter van Meg vandaan lag de man in een rare houding, met zijn hoofd tegen de bovenstijl van de voorruit, die er niet meer was, en met zijn benen naar rechts. Zijn hele lichaam leunde op zijn rechterschouder. Eigenlijk lag hij niet, het was meer hangen. Hij bewoog niet. Er stak een stuk glas uit zijn hals, maar hij bloedde nauwelijks.
Meg keek naar Mark en ging iets meer rechtop zitten. Ze knikte en boog naar hem toe. Heel voorzichtig nam ze het uiteinde van de tape op Marks mond tussen haar tanden en trok zachtjes haar hoofd terug. Langzaam kwam de tape los. Marks lippen gingen een beetje mee. 'Sorry,' fluisterde ze tussen haar tanden door. 'Het moet even.'
Mark haalde diep adem.
'Nu je polsen,' zei Meg zachtjes. Ze begon aan de tape waarmee Mark aan de voorstoel vastzat. Het was een moeizaam karwei waarbij ze zich over Mark heen en onder hem door moest wringen. Telkens als ze een stuk met haar tanden had losgetrokken, moest ze gaan verzitten en verdraaien om een volgend stuk te pakken. Het duurde voor haar gevoel anderhalf uur voor ze de tape van de stoel af had. Daarna ging het snel. Marks polsen zaten nog aan elkaar, maar hij had zijn vingers vrij. Met een paar bewegingen had hij Meg bevrijd en kon ze op haar beurt de laatste tape van zijn armen trekken. En nu eruit!
Eruit?
Hoe?
'Je deur,' fluisterde Mark. 'Probeer je deur. De mijne zit klem.'
Meg duwde uit alle macht. Er was geen beweging in te krijgen.
'Gaat niet.'

'Het zijraam?'
De knop was eraf.
'Nee.'
De ramen zelf waren nog heel, wat een vervelend klein wonder was.
'We moeten er een intrappen,' fluisterde Mark.
Hij draaide zich half om en stampte met zijn schoen tegen het zijraam. Nog een keer. En nog een keer. Het enige gevolg was, dat de man voorin onderuitzakte en nu languit in de breedte lag. Meg zag dat de andere kant van zijn gezicht onder het bloed zat. Hij lag er onnatuurlijk bij.
Mark trapte weer, maar het raam was van uitzonderlijke kwaliteit.
'Wat nu?' vroeg Mark.
Meg haalde een tissue uit haar zak. Ze depte voorzichtig Marks wang. Het hielp niet erg. 'Je bloedt,' zei ze.
'Maakt niet uit. We moeten hier weg. Als de sodemieter.'
Meg wist dat er maar één uitweg was. Mark wist het waarschijnlijk ook. Ze kokhalsde bij de gedachte. Maar ze hadden geen keus.
'De voorruit,' zei Meg. 'De voorruit is kapot. We moeten door de voorruit.'
'Ik ben er ook bang voor,' fluisterde Mark.
De voorruit was inderdaad kapot, maar van een opening naar de vrijheid was geen sprake. De man met de grote handen lag er in zijn volle lengte voor. Er stak een ruitenwisser onder zijn arm door.
'Langs zijn benen,' zei Mark. 'Ik trek zijn benen opzij en dan duik jij eruit. En dan ik. Vijf seconden, meer niet. Dan is het voorbij.'
Meg huiverde. Langs de man, tegen hem aan, half over hem heen, ze wilde niet, ze kon het niet. Ik moet overgeven, dacht ze.
'Is hij dood?' vroeg ze.
'Het lijkt erop. In ieder geval uitgeteld. Kom op, Meg. Het moet. Vijf seconden en we zijn vrij.'
Ze wist het. Maar doen is wat anders.

'Ben je klaar, Meg?'
Ze knikte.
Mark kroop naar voren en trok de onderbenen van de man naar achteren.
'Nu!'
Op handen en voeten wurmde Meg zich langs de man. Ze probeerde alle gevoel uit te schakelen toen ze eerst met haar schouder, toen met haar rug en tenslotte met haar dijbenen de man langs zich heen voelde glijden. Nog even moest ze uitkijken voor de stukken glas die in de raamstijl zaten. Toen was er gras. Vochtig gras. Ze was er.
Bijna.
Een grom achter haar.
Haar enkel zat vast.
Ze kon niet verder.
Voor driekwart was ze buiten, maar ze kon niet verder.
Meg keek om, maar ze wist het al. Er zat een hand om haar enkel. Als een ijzeren tang zat de grote hand om haar enkel. Ze voelde hoe ze langzaam, centimeter voor centimeter, werd teruggetrokken.
'Mark! Mark!'
Ze klauwde met haar vingers in het gras, maar ze hield het niet. Eén decimeter, twee decimeter, ze schopte, rukte en trok maar het had geen enkele zin. De man was veel te sterk.
'Mark!'
Haar andere enkel. Hij trok haar nu aan beide enkels naar binnen toe. Meg wist dat het over was.
Maar toen veranderde er iets. Het ging langzamer, steeds langzamer, tot Megs vingers grip kregen in de vochtige aarde. Ze voelde dat de handen haar enkels loslieten. Binnen een seconde was ze buiten. Hijgend stond ze op en keek achterom. Ze zag Mark naar buiten kruipen.
'Wat is er gebeurd, wat heb je gedaan?' Het klonk of ze iemand anders hoorde praten.

Mark sloeg een arm om haar heen. Het deed bijna pijn, zo stevig hield hij haar vast.
'Niet zoveel. Ik probeerde zijn handen van je enkels te trekken. Ik geloof dat ik één van zijn vingers heb gebroken. Maar het lukte me niet, hij liet niet los. Toen bewoog hij zijn hoofd en het stuk glas in zijn hals, nou ja, hij bloedde ineens. Een paar seconden later liet hij los.'
Meg pakte Marks hand. 'Kom,' zei ze.
Het was bijna donker.
Er waren geen sterren.
In de verte een paar koplampen.

15

Het was zondagmiddag halfvier. De zon scheen en het terras was halfvol.
Meg had een cola in haar hand. Ze ging met haar vingers door haar korte haar, dat een stuk roder was dan een paar dagen geleden.
Mark dronk bier, lachte met zijn hele gezicht en had een pleister op zijn wang.
Het was de dag na de première van Het Hemeltheater.
'Ik heb spierpijn,' zei Meg.
'Dat kan van het zoenen zijn,' zei Mark.
'Niet in mijn lippen,' zei Meg. 'In mijn armen.'
'Dat kan van het vrijen zijn,' zei Mark.
'Zou kunnen. Of van het zwaaien en hangen en vliegen, gisteren.'
'Klinkt onwaarschijnlijk.'
'Dat is zo. Mark?'
'Ja?'
'Wat vond je van gisteravond?'
'Top. Alles ging goed.'
'Ja. Ik vond Havana het mooiste. Alles lukte. Het was nog even spannend bij de laatste borden, maar hij greep gelukkig precies op het goeie moment.'
'De Roemenen waren ook fantastisch,' zei Mark. 'Vooral die kleine bij zijn tweede act. Nog nooit zoiets gezien. Zo eroverheen en dan in één keer in de orkestbak. Onwaarschijnlijk knap. Maar je vader was ook goed, hoor. Het kost een paar cavia's, maar de zaal lag wél dubbel. Zoals hij speelde dat hij ze liet vallen, grote klasse.'
'Ik vond jou ook sterk, achter de schermen,' zei Meg.

'Slijmjurk! Over "achter de schermen" gesproken, heb je alweer gechat?'
'Ik neem even pauze.'
'En Wuftie?'
'Daar sta ik niet voor in. Maar Wuftie is met vakantie. Een paar maanden.'
'En Troetel?'
'Ook.'
'Truffel?'
'Die mag helemaal niet meer meedoen. Eigenlijk past ze niet bij me.'
'Sister dan?'
'Sister heeft huisarrest en een computerverbod.'
'Ik ben blij dat Meg er nog is,' zei Mark.
'Had ook niet veel gescheeld,' zei Meg. 'Hoe is het met je wang? Doet het nog steeds pijn als je lacht?'
'Ja.'
'Eigen schuld. Moet je maar niet lachen.'
'Dat is niet te doen, als ik naar dat hoofd van jou kijk.'
'Gaan we schelden?'
Mark boog voorover en gaf Meg een kleine kus op haar mond. Ze namen een slok en zeiden een poosje niks.
Het terras liep langzaam vol. Jongens met sporttassen, een paar ongeschoren vijftigers, drie vrouwen met plastic zakken. En een bejaarde dame met een rollator en een versleten handtas op het bagagerekje. Ze plofte neer in een stoel, zei 'hè hè' en bestelde een jonge jenever.
'Hoe is het verder met je?' vroeg Mark. 'Lukt het slapen weer een beetje?'
'Vannacht voor het eerst. Als een blok. Ik geloof dat het allemaal wat begint te zakken. En er komen andere dingen voor in de plaats. Leuke dingen, zoals gisteravond. En zoals hier zitten. En jij?'
'Ik werd zwetend wakker, vannacht,' zei Mark.

'Goh, toch nog nachtmerries.'
'Ja, ik droomde van jou. Gelukkig was het allemaal waar.'
'Zak!'
'Lieve zak.'
Het terras was vol. De oude dame bestelde een tweede jenever.
Meg schreef een paar letters op Marks dij. Daarna deed ze haar ogen dicht en genoot van de zon.
Drie minuten lekker zitten en niks hoeven.
'Koika!' riep Meg opeens. Ze zat onmiddellijk rechtop.
'Wat is er met jou?' vroeg Mark. 'Weet je wel wat je zegt?'
'Ja.'
'Hoezo "koika"?'
'Ik bedacht ineens dat ik morgenochtend een spreekbeurt heb. En ik ben nog lang niet klaar.'
'Wat voor spreekbeurt? Waarover?'
'Nederlands. Over de liefde. Ik heb al wel wat.'
'Laat horen,' zei Mark.
'Het is een raptekst, dat kan hier niet.'
'Als het ergens kan, dan hier. Laat horen.'
Meg keek Mark aan.
'Niet lachen.'
'Beloofd. Au, mijn wang. Sorry.'
Meg kuchte even.
'Liefduh liefduh lekkerluchtig vliegensvluchtig avondzuchtig
Liefduh liefduh toverkleurig okselgeurig ochtendtreurig
Liefduh liefduh onderbuiken samenruiken dieper duiken'
Mark hield een hand voor zijn gezicht. 'Wat betekent het?' vroeg hij.